Wilfried Krenn
Herbert Puchta

Ideen

Deutsch als Fremdsprache
Kursbuch

Hueber Verlag

Zeichnungen: Beate Fahrnländer
Zeichnungen „Rosi Rot und Wolfi": Matthias Schwoerer
Fotorecherche: Peter Weber, Unterhaching
Ein ausführliches Quellenverzeichnis befindet sich auf den Seiten 138–139.

5.   4.   3. | Die letzten Ziffern
2021   20   19   18   17 | bezeichnen Zahl und Jahr des Druckes.
Alle Drucke dieser Auflage können, da unverändert,
nebeneinander benutzt werden.
2. Auflage 2015
© 2008 Hueber Verlag GmbH & Co. KG, 85737 Ismaning, Deutschland
Verlagsredaktion: Veronika Kirschstein, Gondelsheim; Gisela Wahl, Hueber Verlag, Ismaning
Umschlaggestaltung: Martin Lange Design, Karlsfeld
Titelfoto: Alexander Keller, München
Visuelles Konzept, Layout, Grafik: Martin Lange Design, Karlsfeld
Herstellung: Astrid Hansen, Hueber Verlag, Ismaning
Druck und Bindung: Firmengruppe APPL, aprinta druck GmbH, Wemding
Printed in Germany
ISBN 978-3-19-001823-9

Art. 530_12855_002_03

Inhalt

Kommunikation
etwas benennen/identifizieren, buchstabieren, etwas nicht wissen, Zustimmung äußern, jemanden begrüßen

Wortschatz
Ländernamen, Zahlen (1–12), internationale Wörter, Alphabet

Grammatik
Verbkonjugation Singular und 1./3. Person Plural; definiter und indefiniter Artikel im Nominativ Singular; Negation mit *nicht*

Kommunikation
nach dem Alter fragen, etwas/jemanden beschreiben

Wortschatz
Zahlen, Angaben zur Person, Gegenstände im Klassenzimmer

Grammatik
Possessivartikel (*mein/dein*) im Nominativ; Verbkonjugation (*sein*); Syntax: Aussagesatz, Ja/Nein-Frage, W-Frage; Wortbildung: Nomen (*Schauspieler/Schauspielerin*)

Kommunikation
Zeitangaben machen, über Vorlieben sprechen, Gefallen/Missfallen ausdrücken

Wortschatz
Wochentage, Freizeitaktivitäten

Grammatik
Possessivartikel (*mein/dein/sein/ihr*) mit Genus-/Kasusendung Nominativ; Verbkonjugation (*mögen/haben*); Zeitangaben (*am/um*); Syntax: Inversion; Wortbildung: zusammengesetzte Nomen

Kommunikation
über die eigene Familie sprechen, Auskunft geben, Vermutungen anstellen, nach Alter und Beruf fragen

Wortschatz
Jahreszahlen, Familie, Berufe

Grammatik
Genitiv bei Eigennamen; Plural von Nomen (*der Bruder – die Brüder*); Negativartikel *kein*; Negation mit *nicht*

Piktogramme und Symbole

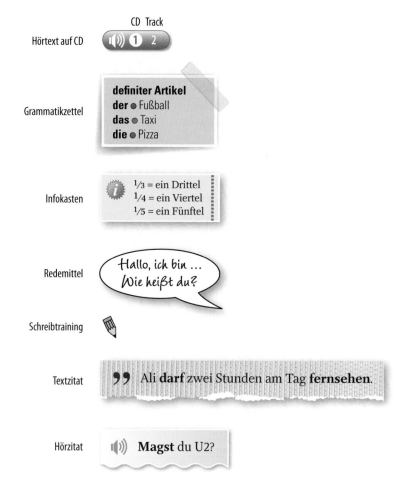

Hörtext auf CD

CD   Track

definiter Artikel
der ● Fußball
das ● Taxi
die ● Pizza

Grammatikzettel

Infokasten

$^1/_3$ = ein Drittel
$^1/_4$ = ein Viertel
$^1/_5$ = ein Fünftel

Redemittel

Hallo, ich bin …
Wie heißt du?

Schreibtraining

Textzitat

99 Ali **darf** zwei Stunden am Tag **fernsehen**.

Hörzitat

Magst du U2?

Wie heißt du?

1 **Hör zu und lies.**

- ☉ Hallo, ich bin Karol. Wie heißt du?
- ◆ Ich heiße Julia, und das ist María.
- ☐ Hallo, ich bin Sven.

2 **Gruppenarbeit. Macht Dialoge.**

> Hallo, ich bin …
> Wie heißt du?

> Ich heiße …
> und das ist …

Sven   Karol   Julia   María

3 **Lies, hör zu und ergänze.**

Schweden

Spanien

Polen

1
- ☉ Woher kommst du, Karol?
- ◆ Ich komme aus ⚬⚬⚬.

2
- ☉ Woher kommst du, Sven?
- ◆ Ich komme aus ⚬⚬⚬.

3
- ☉ Und woher kommt ihr, Julia und María?
- ◆ Wir kommen aus ⚬⚬⚬.

4 **Ordne zu, hör zu und vergleiche.**

Polen	Spanien	Schweden
Zuzanna, ⚬⚬⚬	Alba, ⚬⚬⚬	Alva, ⚬⚬⚬

☆ Patrycja ☆ Lucía ☆ Mateusz ☆ Pablo ☆ ~~Alba~~ ☆ Erik ☆
☆ Álvaro ☆ Björn ☆ ~~Alva~~ ☆ Szymon ☆ Frida ☆ ~~Zuzanna~~ ☆

Deutschland
Julia, Lisa, Lukas, Michael

5 **Rollenspiel. Spielt die Situation.**

- ☉ Hallo, ich heiße Björn. Wie heißt du?
- ◆ Ich heiße Zuzanna.
- ☉ Woher kommst du?
- ◆ Ich komme aus Polen und woher kommst du?
- ☉ Ich komme aus Schweden.

Das sind die Themen in Modul 1:

Ordne die Themen zu.

1 Woher kommt die Briefmarke?

2 Probleme mit Mathe

3 Tschüs, Wolfi.

4 Comicfiguren und Comiczeichner

5 Ist das Nicole Kidman?

6 In der Bibliothek

Du lernst ...

Sprechen

- dich und andere vorstellen
- nach deutschen Wörtern fragen
- fragen, was andere Personen mögen oder gerne tun
- über berühmte Menschen sprechen
- über die eigene Familie sprechen

Schreiben

- eine SMS schreiben
- ein Anmeldeformular ausfüllen
- eine E-Mail über deine Woche schreiben
- eine E-Mail über deine Familie schreiben

📖 **Lesetexte**

- Comicfiguren und ihre Zeichner
- Boxen als Mädchensport
- Zirkusfamilie Krone
- Jugendliche in aller Welt
- Berühmte Eltern und ihre Kinder

🔊 **Hörtexte**

- Eine Nachricht auf dem Handy
- Bingo spielen
- Sabines Familienstammbaum
- Jugendliche und ihr Leben (Probleme mit Mathematik, Stars, Termine, Familienfotos)

Ja, klar! Das weiß ich.

A1 Ordne die Briefmarken zu.

Italien	?
Deutschland	?
Polen	1
Brasilien	?
Österreich	?
Kanada	?
der Sudan	?
die Schweiz	?
Japan	?
Russland	?
China	?
Südafrika	?

A2 Eins ..., zwei ..., drei ... ◀))) ❶ 4-5

ⓐ Hör zu und vergleiche.

ⓑ Hör noch einmal und sprich nach.

> ⓘ **1** eins **2** zwei **3** drei **4** vier
> **5** fünf **6** sechs **7** sieben **8** acht
> **9** neun **10** zehn **11** elf **12** zwölf

A3   **Wie heißt das Land?**   🔊 **1** 6

Hör zu und notiere.

eins: Italien
zwei: •••• Russland
drei: •••• Deutschland
vier: •••• China
fünf: •••• Japan
sechs: •••• Brasil

B1 Ländernamen, Zahlen

a Hör die Dialoge. Ergänze die Wörter. 🔊 1 7

1 ☉ Nummer 1 ist *Brasilian*
   ◆ Ja, genau.

2 ☉ Ich denke, Nummer 2 ist *Deutschland*
   ◆ Nein, das ist *Poland*

3 ☉ Was ist Nummer *3*?

> ☉ Polen
> ☉ drei
> ☉ Brasilien
> ☉ Deutschland

b Partnerarbeit.
Ordnet die Länder und Zahlen zu.

> Nummer …
> ist …

> ℹ ... Deutschland
> ... **die** Schweiz
> ... **der** Sudan

Map markers: ⑦ ⑤ ② ③ ⑥ ④ ① ⑫

B2 Wer ist das? Woher kommt er? Woher kommt sie?

a Hör die Dialoge und ergänze. 🔊 1 8

1 ☉ Wer ist das?
   ◆ Ich denke, das ist ⚫. Er kommt aus ⚫. *Österreich*
   ☉ Ja, er kommt aus ⚫. *Österreich*

> ℹ ... aus Österreich
> ... aus **den** USA

2 ☉ Wer ist das?
   ◆ Ich denke, das ist ⚫. Sie kommt aus *den* ⚫. *USA*
   ☉ Ja, sie kommt aus ⚫. *USA*

> ℹ er ♂
> sie ♀

> **kommen**
> ich komm**e**   **wir** komm**en**
> **du** komm**st**   **ihr** komm**t**
> **er, sie** komm**t** **sie** komm**en**

⑩

⑪

⑨

b **Partnerarbeit. Macht Dialoge.**

Wer ist das?

Das ist ...
Er / Sie kommt aus ...

✪ Brasilien ✪ Deutschland (3x) ✪ USA ✪ England ✪
✪ Ronaldinho ✪ Heidi Klum ✪ Albert Einstein ✪
✪ Bill Gates ✪ Angela Merkel ✪ Miss Marple ✪

c **Woher kommen die Popgruppen? Schreib Sätze.**

Agneta, Frida, Benny und Björn (Abba) kommen aus ...

Mick, Keith, Ron und Charlie (Rolling Stones) ...

Paul, Ringo, John und George (Beatles) ...

Barry, Robin und Maurice (Bee Gees) ...

Bono, David, Larry und Adam (U2) ...

✪ England (2x) ✪ Schweden ✪
✪ Irland ✪ Australien ✪

ⓘ **Agneta** kommt ... = **Sie** kommt ...

**Agneta, Frida, Benny
und Björn** kommen ... = **Sie** kommen ...

C1   Internationale Wörter

a Ordne zu.

definiter Artikel
der ● Fußball
das ● Taxi
die ● Pizza

● Pizza	10	● Bus	12
● Taxi	1	● Gitarre	3
● Fußball	7	● Radio	6
● Hamburger	8	● Museum	11
● Computer	2	● Disco	4
● Hotel	9	● Auto	5

b Hör zu, zeig auf die Bilder in **a** und sprich nach.

🔊 1 9

C2   Wie heißt … auf Deutsch?

a Sieh die Briefmarken in **A1** an und frag.
Deine Lehrerin / Dein Lehrer antwortet.

Wie heißt 🌸 auf Deutsch?

Blume,
die Blume

b Partnerarbeit. Übt mit den Bildern aus **A1** und **C1**.

● Zug   ● Fahrrad   ● Brücke   ● Flugzeug
● Blume   ● Fluss   ● Stadt   ● Fußball
● Hund   ● Klavier   ● Schiff

C3   Das ist ein Flugzeug.

a Hör zu und ergänze die Dialoge.   🔊 1 10

✦ ein Zug ✦ ein Flugzeug ✦ eine Brücke ✦

1 ⊙ Das ist ••••. *Flugzeug*
   ◆ Ein ••••? Ach ja, genau. *Flugzeug*

2 ⊙ Was ist das?
   ◆ Ich denke, das ist ••••. *Brücke*

3 ⊙ Und das? Was ist das?
   ◆ ••••? *ein Zug*
   ⊙ Ja, genau, ••••. *ein Zug*

b Ordne die Wörter aus **C1** und **C2**.

●● ein	● eine
Fußball, …	Pizza, …

indefiniter Artikel
ein ● Zug
ein ● Flugzeug
eine ● Brücke

c Partnerarbeit. Macht Dialoge. Was ist das?

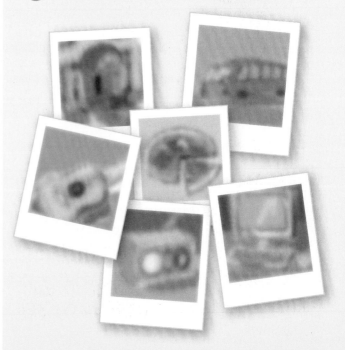

D1 **Tut mir leid. Das weiß ich nicht.**

a **Ordne zu.**

1 „Das ist richtig.“
2 „Ich verstehe das nicht.“
3 „Schau, da steht es.“
4 „Das weiß ich.“

 A

 B

 C

 D

b **Sieh die Fotos in c an und zeig.**

- Junge - Mädchen - Lehrerin - Mathematik

 A

c **Hör den Dialog. Ordne dann die Dialogteile zu.** 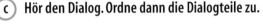 **1** 11

1 Frau Berger: Thomas, was ist c?
Thomas: c? ... Tut mir leid ... Das weiß ich nicht.

2 Eva: c ist eine Tangente.
Frau Berger: Das ist richtig, sehr gut, Eva.

3 Thomas: Jasmin, ich verstehe das nicht.
Jasmin: Schau, ...

4 Thomas: Danke Jasmin, und ... wie schreibt man Tangente?
Jasmin: Schau, da steht es.

 B

 C

 D 2

d **Wie heißen die Jugendlichen? Ordne zu.**

 A

 B

 C

1 Eva
2 Thomas
3 Jasmin

E1 Das Alphabet

 Wie schreibt man Tangente?

Hör das Alphabet und sprich nach. 🔊 **1** 12

A	(A)	K	(Ka)	U	(U)
B	(Be)	L	(eL)	V	(Vau)
C	(Ce)	M	(eM)	W	(We)
D	(De)	N	(eN)	X	(iX)
E	(E)	O	(O)	Y	(Ypsilon)
F	(eF)	P	(Pe)	Z	(Zet)
G	(Ge)	Q	(Qu)	Ää	A-Umlaut
H	(Ha)	R	(eR)	Öö	O-Umlaut
I	(I)	S	(eS)	Üü	U-Umlaut
J	(Jot)	T	(Te)	ß	Es-Zet

E2 Das weiß ich nicht!

a Hör zu und ergänze. 🔊 **1** 13

1 ☉ Was ist ein VW?
   ◆ **A** Das ist ein Auto.

2 ☉ Was ist DB?
   ◆ DB? `?`

 A Das weiß ich.

3 ☉ Was ist eine SMS?
   ◆ `?`
   ☉ Und was heißt SMS?
   ◆ S-M-S? `?`
   ☉ Short Message Service.
     Schau, da steht es.

 B Das weiß ich nicht.

DB **D**eutsche **B**ahn

Negation
Das weiß ich **nicht**.
Ich verstehe das **nicht**.

b Partnerarbeit.
   Macht Dialoge.

 ein ● PC
Personal **C**omputer

 eine ● SMS
Short **M**essage **S**ervice

 eine ● DVD
Digital **V**ersatile **D**isc

 ein ● WC
Water **C**loset

 ein ● VW
Volks**w**agen

☉ Was ist ...?
◆ Das weiß ich. /
   ◆ Das weiß
     ich nicht.
☉ Was heißt ...?
◆ Schau, da steht es.

E3 Wie schreibt man das?

a Partnerarbeit. Hört zu und macht Dialoge.

☉ Was ist das? 🔊 **1** 14
◆ Das ist eine Tangente.
☉ Und wie schreibt man das?
◆ Te – A– eN – Ge ... Schau, da steht es.

● Tangente ✪ ● Addition ✪ ● Radius
● Liter ✪ ● Pyramide ✪ ● Zentimeter

b Partnerarbeit. Macht Dialoge zu den Bildern.

1 ☉ Wie heißt auf Deutsch?
   ◆ Fußball.
   ☉ Und wie schreibt man das?
   ◆ eF – U – Es-Zet – ...

2 ☉ Was ist das? Ce – O – eM – Pe ...?
   ◆ Computer?
   ☉ Ja.

3 ☉ Wer ist das? eM-A-De-O-eN-eN-A?
   ◆ Madonna.
   ☉ Ja, genau.

eXtra

F1 Bingo

a Welche Wörter hörst du? Streiche weg. 1 15

Herr B.	1	2	3	4
Frau W.	5	6	7	8
Herr K.	9	10	11	12

Herr Berger

Frau Weber

Herr Koller

b Wer sagt „Bingo"? Wer gewinnt?

c Dreiergruppen. Spielt Bingo mit den Nomen aus Lektion 1.

| Bus | Hotel |
| Flugzeug | Blume |

| Schiff | Computer |
| Auto | Zug |

• Übung

F2 Was ist die Hausaufgabe?

a Lies die Notiz.

> Hausaufgabe
> Seite 9, Übung 8 und 10.

b Hör den Text von der Mailbox. 1 16
Wie ist Thomas' Handynummer?

Thomas' Handynummer: 0664 ••••

c Hör noch einmal und schreib eine SMS.

HALLO THOMAS, DIE
MATHEMATIKHAUSAUFGABE
IST ÜBUNG •••• UND ••••,
SEITE ••••, NICHT ÜBUNG ••••
UND ••••, SEITE ••••.
TSCHÜS, JASMIN

• Handy

Rosi Rot und Wolfi

• Seite

2 A Kennst du Mafalda?

A1 Comicfiguren und Zeichner

a Wie heißt die Comicfigur? Woher kommt der Zeichner? Was meinst du?

⊙ Wer ist das?
◆ Das weiß ich nicht.
⊙ Das ist Asterix.

Uderzo

Ich glaube, Uderzo kommt aus Spanien.

Nein, Uderzo kommt aus …

Manfred Schmidt

Quino

Osamu Tezuka

Astroboy

b Lies und hör den Text und vergleiche. ◀)) 1 17

Kennst du Mafalda?

Du kennst sicher Micky Maus. Micky kommt aus den USA. Auch Donald Duck, Superman und Popeye kommen aus den USA.

Aber kennst du auch Mafalda? Mafalda kommt aus Argentinien. Der Zeichner heißt Quino (= Joaquín Salvador Lavado).

Albert Uderzo zeichnet Asterix. Uderzo kommt aus Frankreich. Was meinst du? Wie alt ist Uderzo? Und Asterix? Wie alt ist wohl Asterix?

Kennst du Nick Knatterton?

Nick ist Detektiv. Du denkst, Nick kommt aus England? Falsch. Er kommt aus Deutschland. Der Zeichner heißt Manfred Schmidt.

Comics heißen in Japan „Manga". Der Manga-Zeichner Osamu Tezuka ist ein Star. Er kommt aus Tokio.

Aber Achtung!
Manga lesen ist schwierig!

So ist es falsch:

So ist es richtig:

A2 **Lies und hör den Text noch einmal. Richtig oder falsch?**

	richtig	falsch
1 Mafalda kommt aus den USA.	?	X
2 Albert Uderzo zeichnet Mafalda.	?	?
3 Nick Knatterton kommt aus England.	?	?
4 Quino ist eine Comicfigur.	?	?
5 Osamu Tezuka zeichnet Comics.	?	?
6 Osamu Tezuka kommt aus Japan.	?	?

B1 **Wie alt ist Asterix?**

> **Wie alt ist** wohl Asterix?
>
> *1959

a Ergänze, hör zu, vergleiche und sprich nach.

🔊 **1** 18

20	zwanzig
30	dreißig
40	....zig
50	....zig
60	sechzig
70	siebzig
80	....zig
90	neunzig
100	hundert

b Wie heißen die Zahlen? Was meinst du?

13	dreizehn		
14	vierzehn	**17**	sieb....
15	fünfzehn	**18**	....
16	sechzehn	**19**	....

c Hör zu, vergleiche und sprich nach. 🔊 **1** 19

d Wie heißen die Zahlen? Was meinst du?

26	29	35	47	58	64

ⓘ sechs**und**zwanzig

e Hör zu, vergleiche und sprich nach. 🔊 **1** 20

f Partnerarbeit. Wie alt ist ...? Findet das Alter.

Wie alt ist Marge Simpson?

Sie ist ... Jahre alt.

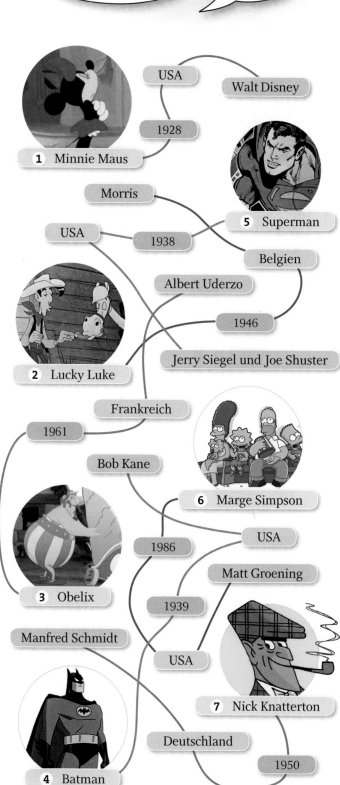

USA

Walt Disney

1928

1 Minnie Maus

Morris

USA · 1938

5 Superman

Belgien

Albert Uderzo

1946

Jerry Siegel und Joe Shuster

2 Lucky Luke

Frankreich

1961

Bob Kane

6 Marge Simpson

USA

1986

Matt Groening

1939

3 Obelix

USA

Manfred Schmidt

7 Nick Knatterton

Deutschland

1950

4 Batman

g Partnerarbeit. Wie alt sind ...? Findet das Alter.

> Wie alt sind Tick, Trick und Track?

> Sie sind ... Jahre alt.

sein

ich	**bin**	wir	**sind**
du	**bist**	ihr	**seid**
er, sie	**ist**	sie	**sind**

Tick, Trick und Track · Fix und Foxi · Tim und Struppi
Rolf Kauka · Carl Barks · Hergé
1938 · Deutschland · 1953 · USA · Belgien · 1929

B2 **Wer bist du?**

a Ergänze die Dialoge.

⊙ „Wer ⸺ das?"
◆ „Das weiß ich nicht."

⊙ „He, wer ⸺ denn du?"
◆ „Ich ⸺ Homer Simpson."

⊙ „Uuuups, wer ⸺ denn ihr?"
◆ „Wir ⸺ Fix und Foxi."

---

b Partnerarbeit. Zeigt auf eine Figur in **A1**, **B1** oder **B2**. Fragt und antwortet.

⊙ Wer ist das?   ◆ Das ist ... / Das weiß ich nicht.
⊙ Wie heißt der Zeichner?   ◆ Er heißt ...
⊙ Wie alt ist ...?   ◆ Er / Sie ist ... Jahre alt.
⊙ Wie alt sind ...?   ◆ Sie sind ... Jahre alt.
⊙ Woher kommt ...?   ◆ Er / Sie kommt aus ...
⊙ Woher kommen ...?   ◆ Sie kommen aus ...
⊙ Wie schreibt man das?   ◆ Te-I-Ce-Ka.

C1 Was ist das?

a Sieh die Fotos an. Frag die Lehrerin / den Lehrer: „Wie heißt … auf Deutsch?"

- Kugelschreiber **4**
- Buch **?**
- Bleistift **?**
- Stuhl **?**
- Tisch **?**
- Fenster **?**
- Zeitung **?**
- Lampe **?**
- Papier **?**
- Heft **?**
- Radiergummi **?**

b Ordne die Wörter den Bildern zu. Hör zu, vergleiche und sprich nach. 🔊 **1** 21

c Zeig und üb die Wörter aus **a**.

> Was ist das?

> Das ist ein Fenster.

C2 Wie ist …? Ein Merkspiel. 🔊 **1** 22

a Hör zu und ordne die Adjektive zu.

Zeile 1:

| A | B | C | D | E | F |

klein **D** **F**
hässlich **A**
alt **C**
teuer **F** **B**

Zeile 2:

| G | H | I | J | K | L |

> Die Lampe in Zeile 1 ist …

b Beschreibe die Bilder in **a**. Wie heißt das Gegenteil? Hör noch einmal zu und vergleiche.

1 neu: _alt_   **2** schön: _s_   **3** groß: _____   **4** billig: _____

c Partnerarbeit. Spielt das Merkspiel.

⊙ In Zeile 1 ist eine Lampe, die Lampe ist hässlich. Da ist ein Tisch, der Tisch ist groß.

◆ Nein, der Tisch ist teuer, nicht groß.

⊙ Ja genau. Da ist auch ein Stuhl, der Stuhl ist …

Pronomen
der ● Tisch ☐ ● er
das ● Heft ☐ ● es
die ● Lampe ☐ ● sie

C3 Mein Buch ist neu.

a Schreib Wortpaare.

Kugelschreiber	Buch	Fenster	Heft	Tisch	Zeitung	…
teuer	___	___	___	___	___	…

b Partnerarbeit. Ein Ratespiel. Macht Dialoge.

⊙ Dein Buch ist alt.

◆ Nein, mein Buch ist neu. / ◆ Ja, genau, es ist alt.

Possessivartikel
mein/dein ● Tisch
mein/dein ● Heft
mein**e**/dein**e** ● Lampe

D1 Ordne die Fragen zu.

1 Wie ist der Vorname?   **A**
2 Ist sie verheiratet?   **G**
3 Wie ist der Familienname?   **B**
4 Woher kommt sie?   **C**
5 Was macht sie?   **F**
6 Wo ist sie geboren?   **E**
7 Wo wohnt sie?   **D**

verheiratet

Steckbrief

Vorname: Nicole   **A**
Familienname: Kidman   **B**
Heimatland: Australien **C**
Wohnort: Sydney   **D**
Geburtsort: Honolulu/Hawaii **E**
Beruf: Schauspielerin **F**
Familienstand: verheiratet   ledig **G**

D2 Ein Star in Stuttgart? 🔊 ① 23

a Hör zu. Wer ist im Kaufhaus?

☐? Markus
☐? Claudia
☐? Nicole Kidman
☐? Batman
☐? Helga Müller

b Hör noch einmal und ordne die Sätze.

6 Claudia: Das ist nicht Nicole Kidman. Die Frau kenne ich doch.
3 Markus: Na da, das ist doch die ... Sie ist verheiratet mit ... Wie heißt er?
2 Claudia: Eine Schauspielerin? Wo?
1 Markus: Die Frau kenne ich. Das ist doch die Schauspielerin ... Warte, wie heißt sie?
5 Claudia: Das ist Helga Müller. Kennst du sie denn nicht?
4 Markus: Sie kommt ... aus Hollywood. ... Der Vorname ist Nicole.
7 Claudia: Nicole Kidman kommt aus Australien, nicht aus Hollywood.

E1 Wie ist ...?

 Kennst du sie denn nicht?

a Schreib die Fragen in die Tabelle.

1	Wie ist der Vorname?
2	Kennst du sie denn nicht?
3	Ist sie verheiratet?
4	Wo wohnt sie?

	Verb	
Wie	ist	der Vorname?
	Kennst	du ...

Aussagesatz
⊙ Sie heißt Nicole.

W-Frage
⊙ Wie ist der Vorname ? ◆ Nicole.

Ja/Nein-Frage
⊙ Ist sie verheiratet? ◆ Ja. / ◆ Nein.

b Fragespiel. Hör zu. Wer sind die Personen? 1 24

Dialog 1: ·····
Dialog 2: ·····

Ist es ein Mann oder eine Frau?

ⓘ ♂ der Schauspieler   ♀ die Schauspieler**in**

Name	Beruf	Heimatland
♀ Sophie Marceau	Schauspielerin	Frankreich
♂ Beethoven	Musiker	Deutschland
♂ Robbie Williams	Musiker	England
♀ Anja Pärson	Sportlerin	Schweden
♀ Nicole Kidman	Schauspielerin	Australien
♂ Charlie Chaplin	Schauspieler	England
♀ Madonna	Musikerin	USA
♂ Ronaldinho	Sportler	Brasilien
♀ Venus Williams	Sportlerin	USA

c Hör noch einmal und vergleiche deine Antwort. 1 25

d Partnerarbeit. Such eine Person aus und frag wie in **b**. Deine Partnerin / Dein Partner antwortet.

⊙ Ist die Person ein Mann oder eine Frau?
◆ Eine Frau.
⊙ Ist sie Musikerin?
◆ Nein.

⊙ Kommt sie aus ...?
◆ Ja ...
⊙ Ah, das ist ...
◆ Genau!

F1 Anmeldung in der Stadtbibliothek   1 26

a Welche Fragen stellt die Frau?
Hör zu und schreib.

1 ist – dein – Wie – Vorname – ?
2 Familienname – ? – ist – dein – Wie
3 deine – Adresse – Wie – ist – ?
4 ist – Wie – Telefonnummer – ? – deine

b In dem Formular sind Fehler.
Hör noch einmal und korrigiere.

≡ Stadtbibliothek	
Vorname:	Jasmin
Familienname:	Rickert
Adresse:	Teichstraße 49
	70199 Stuttgart
Telefonnummer:	628755

c Partnerarbeit. Ergänze das Formular nun
für deine Partnerin / deinen Partner.

≡ Stadtbibliothek	
Vorname:	•••••
Familienname:	•••••
Adresse:	•••••
	•••••
Telefonnummer:	•••••

Wie ist deine Adresse?

Rosi Rot und Wolfi

3 (A) Was machst du heute?

A1 Sechs Tage – sechs Bilder

a Sieh die Fotos an. Ordne zu.

1. tanzen
2. Musik machen
3. Fußball spielen
4. tauchen
5. Schach spielen
6. Dinge suchen

23 Montag

 Im Fußball sind Steine.

A

1 Montag Lu Deh ist Tanzlehrerin.

E

 um sechs Uhr auf der Mülldeponie

D

Sarah und Mary suchen Muscheln.

b Lies und hör den Text.
Ordne die Wochentage den Fotos zu. 27

Montag:	Lu Deh tanzt „Legong". „Legong" ist ein traditioneller Tanz in Indonesien. Lu Deh ist dreizehn Jahre alt und Tanzlehrerin! Heute kommen neue Schüler.
Dienstag:	David spielt Schach, und er spielt sehr gut. Dienstag ist sein Tag: Er spielt gegen Wladimir Kramnik. Wladimir Kramnik ist Weltspitze, aber David gewinnt. David ist elf Jahre alt und kommt aus England.
Donnerstag:	Es ist Donnerstag in Cobán in Guatemala. Juan spielt Fußball. Aber Juan und seine Freunde sind blind. Sie sehen den Ball nicht, sie hören den Ball nur: Im Fußball sind Steine!
Freitag:	Sarah und Mary leben auf den Salomon-Inseln. Der Salomonen-Dollar und Muscheln (!) sind das Geld auf den Salomon-Inseln. Am Freitag tauchen Sarah und Mary nach Muscheln, am Samstag beginnt ihre „Shoppingtour".
Samstag:	Shad übt für sein Konzert am Sonntag. Er ist ein Hip-Hop-Star in den USA.
Sonntag:	Jasmin lebt in Bangladesch. Um sechs Uhr ist sie schon auf der Mülldeponie. Auch am Sonntag. Sie sucht Dinge für ihre Familie.

C

? ☺ David gewinnt.

Sonntag 29
19
28

F

? F. üben, üben, üben …

c Lies und hör den Text noch einmal. Ergänze.

Name	Land	Wochentag	Aktivität
Lu Deh	Indonesien	Montag	tanzen
…	…	…	…

B1 Wochentage

(a) **Nummeriere die Wochentage. Hör dann und vergleiche.** 🔊 ① 28

• Dienstag	• Samstag	• Mittwoch	• Freitag	• Montag	• Sonntag	• Donnerstag
2	6	3	5	1	7	4

(b) **Welcher Wochentag fehlt im Text von A1b ?**

(c) **Partnerarbeit. Fragt und antwortet ganz schnell.**

☉ Heute ist Dienstag. Was ist morgen?

◆ Mittwoch. Heute ist Samstag. Was ist morgen?

☉ ...

B2 Aktivitäten

(a) **Sieh die Zeichnungen an. Hör zu und ordne** 🔊 ① 29
zu. Wer macht was gern? Luka oder Paula?

1		Musik hören
2		faulenzen
3	Luka	Tennis spielen
4		E-Mails schreiben
5		telefonieren
6		Hausaufgaben machen
7		Gitarre spielen
8		Klavier spielen
9		schwimmen
10		reiten

(b) **Erzähle.**

> Luka spielt gern Tennis. Er ...

> Paula ...

(i)	Tennis spielen	➜	... **spielt** gern **Tennis**.
	E-Mails schreiben	➜	... **schreibt** gern **E-Mails**.
	reiten	➜	... **reitet** gern.

(c) **Und du? Was machst du gern?**

B3 Fußball finde ich ...

a Hör zu und ergänze. 1 30

❄ langweilig ❄ schrecklich ❄
❄ gut ❄ super ❄ toll ❄

Position 2
Ich ⟨finde⟩ Fußball super.
Fußball ⟨finde⟩ ⟨ich⟩ super.

1 Luka: Fußball finde ich langweilig. ☹
2 Eva: Tennis finde ich ⚬⚬⚬. ☺☺
3 Klara: Nein, Schach finde ich ⚬⚬⚬. ☹☹
4 Kevin: Schach ist doch ⚬⚬⚬. ☺☺
5 Veronika: Gitarre spielen finde ich ⚬⚬⚬. ☺

b Ergänze die Tabelle mit den Wörtern aus **a**.

☹ langweilig	☺ ⚬⚬⚬	☺ okay
☹☹ ⚬⚬⚬	☺☺ ⚬⚬⚬	
	☺☺ ⚬⚬⚬	

c Partnerarbeit. Was findet ihr ☺, ☺, ☹?
Schreibt Buchstaben wie im Beispiel. Deine Partnerin / Dein Partner rät.

T _____ ☹
T _____ sp _____ ☺☺
f _____ ☺☺
schw _____ ☺

Ich glaube, Tauchen findest du langweilig.

Nein, falsch. Telefonieren finde ich langweilig. Tauchen ist okay.

C1 Wie heißen die Wörter?

> ❞ Lu Deh ist dreizehn Jahre alt und **Tanzlehrerin**!

a Such die Wörter im Text in **A1b**.

der ● Tanz + die ● Lehrerin = **die** ● Tanzlehrerin

1 der Tanz + die Lehrerin = die _Tanzlehrerin_
2 der Fuß + der Ball = der ●●●●
3 die Welt + die Spitze = die ●●●●
4 der Müll + die Deponie = die ●●●●
5 die Woche + der Tag = der ●●●●n●●●●

b Der, die oder das Lieblings... ? Bilde neue Wörter.

der Liebling + die Schauspielerin = die ●●●●s●●●●

● Tag ● Zahl ● Stadt ● Sängerin

der Lieblings_tag_   ●●●● Lieblings_zahl_

●●●● Lieblings●●●●   ●●●● Lieblings●●●●

C2 Was ist dein/deine Lieblings...?

> ❞ Sie sucht Dinge für **ihre** Familie.

a Ordne zu.

❂ L̶i̶e̶b̶l̶i̶n̶g̶s̶s̶t̶a̶d̶t̶ ❂ Lieblingstag ❂
❂ Lieblingssänger ❂ Lieblingsbuch ❂
❂ Lieblingsland ❂ Lieblingszahl ❂

1 ●● mein/dein/sein/ihr	**2** ● meine/deine/seine/ihre
●●●●	Lieblingsstadt, ●●●●

Possessivartikel

(indefiniter Artikel)

mein/dein ● Tag   sein ● Tag   ihr ● Tag   (ein)
mein/dein ● Lied sein ● Lied ihr ● Lied (ein)
mein**e**/dein**e** ● Familie   sein**e** ● Familie   ihr**e** ● Familie   (eine)

---

b Ordne die Bilder zu und ergänze die Sätze. *Sein/Seine* oder *ihr/ihre*?

A ?   B ?   C ?   D ?

1 Georg findet U2 toll. „Elevation" ist _sein_ Lieblingslied.

2 Peter findet Montag schrecklich. Freitag ist ●●●● Lieblingstag.

3 Michelle wohnt in Brüssel, aber Paris ist ●●●● Lieblingsstadt.

4 Sabine findet Leonardo di Caprio super. Er ist ●●●● Lieblingsschauspieler.

c Partnerarbeit. Macht Interviews. Findet auch weitere Fragen.

Was ist dein Lieblingstag?
Was ist deine Lieblingszahl?
Was ist dein Lieblingslied?
Was ist deine Lieblingsstadt?
Was ist dein Lieblingsfilm?
Wer ist dein Lieblingssänger?
Wer ist dein Lieblingsschauspieler?
...

● Lieblingscomicfigur ● Lieblingsland
● Lieblingskontinent ● Lieblingsbuch
● Lieblingsbuchstabe ● Lieblingssängerin
● Lieblingsschauspielerin ● Lieblingssportler
● Lieblingssportlerin

d Berichtet in der Klasse.

Meine Partnerin ist Maria. Ihr Lieblingstag ist ...

Mein Partner ist Jim. Seine Lieblingszahl ist ...

D1 Kayas Terminkalender

a Lies die Texte 1 und 2 und kreuze an.

1 Kaya spielt [?] 🎹 und [?] 🎾
Schwimmen findet Kaya [?] super. [?] toll. [?] langweilig.

2 Die Gitarrenstunde ist am [?] Montag [?] Dienstag [?] Donnerstag
um [?] 14:00 Uhr. [?] 15:00 Uhr. [?] 16:00 Uhr.
Der Tanzkurs ist am [Ⓠ] Dienstag. [?] Freitag. [?] Samstag.

3 ☉ Wann beginnt das Volleyballtraining am Freitag?
◆ [?] Um 17:00 Uhr. [?] Um 18:00 Uhr. [?] Um 19:00 Uhr.
☉ Wann beginnt das Volleyballtraining am Mittwoch?
◆ [?] Um 18:00 Uhr. [?] Um 19:00 Uhr. [?] Um 20:00 Uhr.

4 ☉ Was kommt am Dienstag um 20:00 Uhr im Fernsehen?
◆ [?] Ein Konzert aus Wien. [?] Ein Spielfilm. [?] Ein Popkonzert.
☉ Was macht Kaya am Dienstag?
◆ [?] Gitarre spielen. [?] Volleyball spielen. [?] Tanzen.

①		
11	Montag	Schwimmen
12	Dienstag	Gitarrenstunde 15:00
13	Mittwoch	Volleyballtraining 19:00 Uhr
14	Donnerstag	
15	Freitag	Volleyballtraining 17:00 Uhr
16	Samstag	Tanzkurs
17	Sonntag	
18	Montag	Schwimmen mag ich nicht!
19	Dienstag	
20	Mittwoch	
21	Donnerstag	Mathetest
22	Freitag	Walter
23	Samstag	
24	Sonntag	Geburtstag!

② **Teletipps**

Musik

Mozart, Debussy, Beethoven
Franz Welser-Möst und die Wiener
Philharmoniker.
Live aus dem Musikvereinssaal in Wien.
ORF, Sonntag, 10:30 Uhr

U2 in Concert
Bono und The Edge bei ihrem großen
Live-Konzert in London.
MTV, Dienstag, 20:00 Uhr

Spielfilme

Der Pianist
Regie: Roman Polanski
ZDF, Mitt...

b Hör zu und ordne zu. Kaya oder Stefan? Wer sagt was? 🔊 ① 31

Kaya: „U2 ist meine Lieblingsband."
Stefan „Heute kommt ein U2-Konzert im Fernsehen."
Kaya „Heute habe ich Volleyballtraining."
Stefan „Ich denke, dein Training ist morgen."
Stefan „Wann ist der Mathetest?"
Kaya „Alles klar. Morgen ist Mittwoch und heute ist Dienstag."
Kaya „Dienstag ist richtig, aber die Woche ist falsch."

D2 Ja klar, wann denn?

a Lies die Dialoge und ordne die Sätze.

Dialog 1

_1_ Im Kino kommt ein Film mit Brad Pitt. Der Film
ist bestimmt super.

⚬⚬⚬ Thomas, Jasmin und ich gehen. Kommst du auch, Kaya?

_2_ Toll. Ich bin ein Brad-Pitt-Fan.

⚬⚬⚬ Mittwoch ist schlecht. Geht Donnerstag?

⚬⚬⚬ Ja klar, Stefan, wann denn?

⚬⚬⚬ Am Mittwoch. Hast du Zeit?

⚬⚬⚬ Gut, Donnerstag.

Dialog 2

_1_ Silvia, magst du Fußball?

⚬⚬⚬ Ich mag Fußball auch nicht.

_2_ Nein, Fußball mag ich nicht, aber Tennis
finde ich toll.

⚬⚬⚬ Heute kommt nur Fußball im Fernsehen, Maria.

⚬⚬⚬ Nein, danke, Silvia. Musik hören ist okay, aber
Eminem finde ich schrecklich.

⚬⚬⚬ Ach, schade. Was machen wir dann?

⚬⚬⚬ Wir hören Musik, ... Eminem.

b Hör zu und vergleiche. 🔊 ① 32

E1 Ich mag ...

🔊 **Magst** du U2?

a Was magst du?

Ich mag Fußball. ☺

Ich mag Fußball nicht. ☹

b Lies die Dialoge in D2a noch einmal und ergänze.

1 Kaya *mag* Brad Pitt ―.
2 Stefan ⬤⬤⬤ Brad Pitt ⬤⬤⬤.
3 Silvia ⬤⬤⬤ Fußball ⬤⬤⬤.
4 Silvia ⬤⬤⬤ Eminem ⬤⬤⬤.
5 Maria ⬤⬤⬤ Eminem ⬤⬤⬤.

> **mögen**
> ich **mag**
> du **magst**
> er, es, sie **mag**
> wir mögen
> ihr mögt
> sie mögen

c Partnerarbeit. Wir mögen ... Sucht gemeinsame Stars.

> ✪ Eminem ✪ Pelé ✪ Ronaldinho ✪
> ✪ Bayern München ✪ Sandra Bullock ✪
> ✪ Anastacia ✪ Lang Lang ✪ David Copperfield ✪
> ✪ Robert de Niro ✪ Michael Jackson ✪
> ✪ Madonna ✪ Britney Spears ✪ ... ✪

	ich	mein Partner
Eminem	☺	☺ ☺
Pelé	☺	☺
Anastacia	☺ ☺	☹
Madonna		

⊙ Magst du ...?
◆ Ja, ich mag ... sehr. Ich finde ... super / toll / gut. ☺☺
◆ Nein, ich mag ... überhaupt nicht. ☹☹
◆ Ich finde ... nicht gut / schrecklich. ☹☹
◆ Ich finde ... okay. ☺
◆ Ich kenne ... nicht.

d Erzählt in der Klasse.

Ich mag Anastacia sehr, aber Antonio mag Anastacia überhaupt nicht.

Wir beide mögen Eminem.

E2 Hast du Zeit?

🔊 **Hast** du Zeit?

a Ordne zu und ergänze.

> ✪ H̶a̶s̶t̶ ✪ habe ✪ Hat ✪
> ✪ hat ✪ Habt ✪ haben ✪

1 ⊙ *Hast* du heute Zeit?
  ◆ Nein, ich ⬤⬤⬤ Fußballtraining.

2 ⊙ ⬤⬤⬤ Veronika heute Zeit?
  ◆ Nein, sie ⬤⬤⬤ Tanzkurs.

3 ⊙ ⬤⬤⬤ ihr Zeit?
  ◆ Nein, wir ⬤⬤⬤ Gitarrenstunde.

> **haben**
> ich habe
> du **hast**
> er, es, sie **hat**
> wir haben
> ihr habt
> sie haben

b Hör zu und vergleiche. 🔊 **1** 33

c Ergänzt die Tabelle. Du ergänzt 1,3 und 4.
Deine Partnerin / Dein Partner ergänzt 2 und 5.

		Tag	Zeit
1	das Fußballspiel	⬤⬤⬤	18:00 Uhr
2	das Volleyballspiel	Freitag	⬤⬤⬤
3	das Konzert	⬤⬤⬤	20:00 Uhr
4	der Film	Samstag	⬤⬤⬤
5	die Party	⬤⬤⬤	15:00 Uhr

d Partnerarbeit. Macht Dialoge.

Heute ist das Fußball-spiel. Um 18:00 Uhr. Hast du Zeit?

Heute ist das Volleyballspiel. Um ... Uhr. Hast du Zeit?

Wann ist ...?

Ist heute Freitag?

> ℹ **am** Montag **um** 18 Uhr

F1 Lies und hör den Text. Ordne die Satzteile und schreib Sätze. 🔊 ① 34

Mädchen boxen nicht!

Viele Mädchen in Deutschland spielen Volleyball. Viele finden Basketball toll. Einige Mädchen spielen auch Fußball. Das deutsche Frauenfußballteam ist Weltspitze. Sandra Neumann boxt. Montag, Mittwoch und Freitag trainiert sie im Sportzentrum. Am Sonntag boxt sie für ihren Klub in der Meisterschaft. „Mädchen boxen nicht!", denken viele Menschen in Deutschland. Doch das ist ein Klischee. In Kuba ist Mädchenboxen ganz normal. Dort boxen viele Mädchen. Sandras Lieblingsfilm ist „Million Dollar Baby". Hilary Swank spielt in dem Film eine Boxerin. Clint Eastwood ist ihr Trainer.

1	Viele Mädchen in Deutschland	boxt	Volleyball.
2	Das Frauenfußballteam in Deutschland	denken	sehr, sehr gut.
3	„Boxen ist nicht gut für Mädchen!",	spielen	viele Menschen in Deutschland.
4	In Kuba	ist	viele Mädchen.
5	Sandra Neumann	ist	am Sonntag in der Meisterschaft.
6	„Million Dollar Baby"	boxen	Sandras Lieblingsfilm.

> 1 Viele Mädchen in Deutschland ...
> 2 ...

F2 Wie ist Marks Woche?

a Lies Marks Text.

Timo	Hallo Mark, warum schreibst Du nicht? Liebe Grüße Timo
 Mark ☆☆☆ 👤	Hallo Timo, meine Woche ist schrecklich: Am Montag habe ich Mathetest, am Dienstag habe ich mein Gitarrenkonzert (üben, üben, üben!) und am Mittwoch ist mein Tanzkurs. Tanzen mag ich nicht, aber ich mag Anita. Und Anita findet Tanzen toll. Ich schreibe am Donnerstag wieder. Liebe Grüße Mark

b Schreib auch einen Text für das Forum. Wie ist deine Woche?

 Hallo ....

meine Woche ist super / toll / okay / schrecklich.

Am Montag / Dienstag habe ich ...

Das finde ich interessant / langweilig ...

Ich schreibe am ... wieder.

Liebe Grüße

...

Rosi Rot und Wolfi

Montag? — Nein.

Dienstag? Mittwoch? Donnerstag? — Nein. Nein. Nein.

Donnerstag hat Oma Geburtstag!

Fantastisch, ich komme auch.

4 A Wie mein Vater, wie meine Mutter ...

A1 Wer ist wer? Ordne zu.

Vater	B	Tochter	?
Mutter	?	Bruder	?
Sohn	?	Schwester	?

A2 Wie der Vater, wie die Mutter ...

a Sieh die Fotos an. Was sind die Personen von Beruf? Was meinst du?

> Ich denke, sie/er ist ... von Beruf.

Musiker/Musikerin

Arzt/Ärztin

Physiker/Physikerin

Ingenieur/Ingenieurin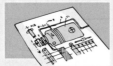

Psychologe/Psychologin

Schauspieler/Schauspielerin

Kaufmann/Kauffrau

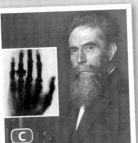

b) Lies und hör den Text. Foto und Text: Was passt? Ordne zu. 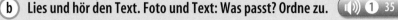 **1** 35

Familie und Berufstraditionen

D **1772**   Ein Junge und ein Mädchen spielen Klavier für die Kaiserin von Österreich.
Sie heißen Wolfgang Amadeus und Nannerl und sind Bruder und Schwester.
Ihr Vater Leopold Mozart ist ihr Manager. Er ist Musiker in Salzburg.

? **1931**   Ferdinand Porsche ist Ingenieur in Stuttgart.

? **1946**   Ferry Porsche baut den ersten Porsche Sportwagen. Ferry ist Ferdinand Porsches Sohn.

? **1905**   Sigmund Freud lebt in Wien. Sigmund Freud ist Arzt von Beruf. Aber er ist auch
Psychologe. Viele Menschen kennen heute seine Psychoanalyse.

? **1952**   Anna Freud lebt in London. Sie ist Kinderpsychologin und Sigmund Freuds Tochter.

? **1943**   Der Film „Casablanca" gewinnt in Hollywood drei Oscars. Die Stars in „Casablanca"
heißen Ingrid Bergman und Humphrey Bogart.

? **2006**   Isabella Rossellini spielt im Hollywood-Film „Infamous" eine Modedesignerin.
Isabella Rossellini ist Ingrid Bergmans Tochter.

1835   Friedrich Röntgen ist Kaufmann in Düsseldorf.

? **1898**   Sein Sohn Wilhelm Conrad entdeckt die Röntgenstrahlen. Aber Wilhelm Conrad ist
Physiker von Beruf, nicht Kaufmann wie sein Vater.

E

c) Lies und hör den Text noch einmal. Ordne zu.

1 Schauspielerin   **2** Kinderpsychologin
3 Musiker   **4** Ingenieur   **5** Kaufmann

a (2x) Tochter
b Vater   **c** (3x) Sohn

H

1 Leopold Mozart ist **3** von Beruf. Sein **c** Wolfgang Amadeus und
seine **?** Nannerl spielen für die Kaiserin von Österreich.

2 Anna Freud ist **?** von Beruf. Ihr **?** ist Arzt und Psychologe und heißt
Sigmund Freud.

3 Ferdinand Porsche ist **?** in Stuttgart. Sein **?** Ferry baut den ersten
Porsche Sportwagen.

4 Ingrid Bergman ist **?** von Beruf und der Star in „Casablanca".
Auch ihre **?** Isabella Rossellini ist Schauspielerin.

5 Friedrich Röntgen ist **?** von Beruf. Sein **?** Wilhelm Conrad entdeckt
die Röntgenstrahlen.

B1 Jahreszahlen

a) Wie heißen die Jahreszahlen? Ergänze, hör zu und sprich nach.

1930	neunzehnhundertdreißig
1940	neunzehnhundert •••••
1750	siebzehnhundert •••••
1620	•••••hundert •••••
1480	•••••

2000	zweitausend
2001	zweitausendeins
2007	•••••
100 v. Chr.	einhundert vor Christus
300 n. Chr.	dreihundert nach Christus

b) Wie heißen die Jahreszahlen? Was meinst du?

• 1723 • 1862 • 2008 • 856
• 1492 • 1934 • 1347

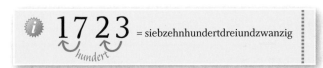

i 17 23 = siebzehnhundertdreiundzwanzig
  hundert

c) Hör zu, vergleiche und sprich nach.

d) Sag die Jahreszahlen im Text A2b. Deine Partnerin/Dein Partner nennt die Namen.

neunzehnhundertfünf

Sigmund Freud

B2 Ordne zu und schreib Sätze.

Herr Brehm   Frau Weber   Markus   Frau Winter   Herr Sommer

Herr Brehm ist Architekt. ...

✪ Künstlerin ✪ Architekt ✪ Hausmann ✪ Student ✪ Technikerin ✪

B3 Sabines Familie

a Ergänze den Stammbaum. Ordne zu.

> **1** Vater   **2** Bruder   **3** Großvater
> **4** Tante   **5** Schwester   **6** Großmutter
> **7** Onkel   **8** Mutter   **9** Cousin
> **10** Eltern   **11** Großeltern

b Hör zu und vergleiche deine Antworten. 🔊 **1** 38

c Hör noch einmal und ordne die Berufe zu.

Robert	?
Günter	a
Anna	?
Veronika	?
Walter	?
Friedrich	?

> **a** Hausmann   **d** Künstlerin
> **b** Architektin   **e** Architekt
> **c** Student   **f** Angestellter

B4 Berufe

a Welche Berufe gibt es in deiner Familie?

b Partnerarbeit. Zeichne deinen Familienstammbaum.
Sprich mit deiner Partnerin/deinem Partner darüber.

> ⊙ Das ist meine Tante Jola.
> ◆ Und was ist sie von Beruf?
> ⊙ Sie ist Journalistin.
> ◆ Und wie alt ist sie?
> ⊙ ...

Meine Mutter ist Anwältin.

Und mein Vater ist ...

c Habt ihr auch Familientraditionen?

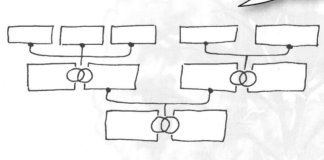

Tante Jola ist Journalistin von Beruf, wie ihre Mutter.

Mein Großvater ist Arzt, aber mein Vater ist Ingenieur.

C1 Ingrid Bergmans Tochter ...

Such die Namen im Text in **A2b** und ergänze.

1 Ingrid Bergmans Tochter heißt Isabella.
2 ⬤⬤⬤ ⬤⬤⬤ Tochter heißt Anna.
3 ⬤⬤⬤ ⬤⬤⬤ Sohn heißt Wolfgang Amadeus.
4 ~~Ingrid Pose~~ Vater heißt Ferdinand.

> 99 Isabella Rossellini ist
> Ingrid Bergman**s** Tochter.

Genitiv
Ingrid Bergman**s** Tochter
Ingrid**s** Tochter

C2 Wie viele Brüder und Schwestern hat Bernd?

Lies und hör den Text. Ergänze die Sätze. 🔊 ① 39

Bernd hat ⬤⬤⬤ Schwestern. Sie heißen ⬤⬤⬤ .
Bernd hat ⬤⬤⬤ Brüder. Sie heißen ⬤⬤⬤ .

Plural

-(e)n:	die ● Schwester –	die ○ Schwester**n**
-e/⸚e:	der ● Sohn –	die ○ S**ö**hn**e**
-er:	das ● Kind –	die ○ Kind**er**
-/⸚:	der ● Bruder –	die ○ Br**ü**der
-s:	der ● Cousin –	die ○ Cousin**s**

verheiratet

geschieden

Bernds Mutter heißt Anna. Bernds Vater heißt Paul. Bernd hat zwei Brüder, Dirk und Georg. Bernds Eltern sind geschieden. Bernds Mutter ist jetzt aber wieder verheiratet. Bernds neuer Vater, sein Stiefvater, heißt Alfred. Alfred ist auch geschieden und hat zwei Töchter, Karina und Lisa. Sie sind Bernds neue „Schwestern". Alfred und Anna haben ein Kind, Moritz. Moritz ist acht Wochen alt. Bernds neue Familie ist eine „Patchworkfamilie". So wie Bernd leben viele Kinder und Jugendliche in Europa in „Patchworkfamilien".

Eine Patchworkfamilie, das bedeutet oft:
nicht ein Vater, sondern zwei Väter,
nicht eine Mutter, sondern zwei Mütter,
nicht eine Schwester, sondern viele Schwestern,
nicht ein Bruder, sondern viele Brüder,
nicht ein Onkel, sondern viele Onkel,
nicht eine Tante, sondern viele Tanten,
nicht ein Cousin, sondern viele Cousins ...

C3 Hast du Geschwister?

> Hast du Geschwister?
> Wie heißen sie?

> Mein Bruder heißt ...
> Meine Schwester heißt ...

> Wie alt ist dein Bruder?
> Wie alt ist deine Schwester?

a Gruppenarbeit. Macht Interviews.

b Sammelt die Ergebnisse und macht eine Kursstatistik.

Jahre:	0–5	5–10	10–15	15–25	20–?
Schwestern					
Brüder					

C4 Wie heißt der Plural?

Such die Pluralformen in der Wortliste (ab Seite 128) und trag die Wörter in die Tabelle ein.

> ✖ Radiergummi ✖ Auto ✖ Computer ✖ Fußball ✖ Tisch ✖ Fenster ✖ Brücke ✖
> ✖ Briefmarke ✖ Stadt ✖ Sportler ✖ DVD ✖ Heft ✖ Buch ✖ Wort ✖ Bild ✖ Frau ✖

-(e)n die ● Schwester – die ○ Schwester**n**	-e/⸚e der ● Sohn – die ○ S**ö**hn**e**	-er/⸚er das ● Kind – die ○ Kind**er**	-/⸚ der ● Bruder – die ○ Br**ü**der	-s ● der Cousin – ○ die Cousin**s**
der Junge – die Jungen	das Ding – die Dinge	⬤⬤⬤	das Mädchen – die Mädchen	⬤⬤⬤
⬤⬤⬤	der Freund – die Freunde		⬤⬤⬤	
	⬤⬤⬤			

D1 Familienfotos. Wer ist wer? Rate.

Ich denke, **C** ist Sophies Bruder.

Wer ist ...

... Sophies Bruder?

... Sophies Schwester?

... Sophies Onkel?

... Sophies Mutter?

... Sophies Vater?

... Sophies Freund?

... Sophies Katze?

... Sophies Hund?

D2 Wer ist wer? 🔊 ① 40

a Hör den Dialog und zeig auf dem Foto.

1

2

3

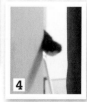

4

b Ergänze.

1 Nina denkt, das ist Sophies _Onkel_. Aber das ist Sophies ⸱⸱⸱⸱. Er ist ⸱⸱⸱⸱ Jahre alt.

2 Nina denkt, das ist ⸱⸱⸱⸱ ⸱⸱⸱⸱. Aber das ist ⸱⸱⸱⸱ ⸱⸱⸱⸱. Sie ist ⸱⸱⸱⸱ ⸱⸱⸱⸱ alt.

3 Nina denkt, ⸱⸱⸱⸱ ⸱⸱⸱⸱ ⸱⸱⸱⸱ ⸱⸱⸱⸱. Aber ⸱⸱⸱⸱ ⸱⸱⸱⸱ ⸱⸱⸱⸱ ⸱⸱⸱⸱. Er kommt ⸱⸱⸱⸱ ⸱⸱⸱⸱.

4 Nina ⸱⸱⸱⸱, ⸱⸱⸱⸱ ⸱⸱⸱⸱ ⸱⸱⸱⸱ ⸱⸱⸱⸱. ⸱⸱⸱⸱ ⸱⸱⸱⸱ ⸱⸱⸱⸱ ⸱⸱⸱⸱ ⸱⸱⸱⸱. Er heißt ⸱⸱⸱⸱.

E1 Alles falsch!

🔊) Nein, wieder falsch. Das ist **keine** Katze, das ist ein Hund, und er heißt Bello.

Negativartikel
kein ● Popstar
kein ● Auto
keine ● Katze
keine ○ Eltern

a Hör zu und ergänze. 🔊) **1** 41

✪ keine ✪ kein ✪
✪ eine ✪ ein ✪ keine ✪

1
⊙ Das ist ⸺ Popstar, oder?
◆ Das ist doch ⸺ Popstar. Das ist mein Bruder.

2
⊙ Ist das ⸺ Frau?
◆ Das ist doch ⸺ Frau. Das ist ein Mann.

3
⊙ Sind das Briefmarken?
◆ Das sind doch ⸺ Briefmarken. Das sind Fotos.

b Partnerarbeit. Was ist das? Zeichnet und macht Dialoge wie in a.

✪ Auto/Bus
✪ Museum/Disco
✪ Hund/Katze
✪ Kalender/Heft
✪ Bleistift/Kugelschreiber
✪ Motorräder/Fahrräder

E2 Er kommt nicht aus Hamburg.

a Hör zu und ergänze die Antworten. 🔊) **1** 42

✪ Freund ✪ Hamburg ✪ Arzt ✪ meine Eltern ✪

1 ⊙ ....? ◆ Nein, das ist kein ⸺ .
2 ⊙ ....? ◆ Nein, er kommt nicht aus ⸺ .
3 ⊙ ....? ◆ Nein, er ist kein ⸺ .
4 ⊙ ....? ◆ Nein, das sind nicht ⸺ .

Negation
Er kommt **nicht** aus Stuttgart, er kommt aus Berlin.
Er ist **nicht** 23 Jahre alt, er ist 24.

nicht + ein ☐ **kein**: Das ist ~~nicht ein~~ **kein** ● Freund.
nicht + Nomen ☐ **kein**: Das sind ~~nicht~~ **keine** ○ Briefmarken.

b Finde die Fehler und schreib die Sätze richtig.

1 Sophies Mutter ist 34 Jahre alt.
 Nein, sie ist nicht 34 Jahre alt, sie ist fast 50.
2 „Million Dollar Baby" ist ein Lied. ⸺
3 Madonna kommt aus England. ⸺
4 Ronaldinho ist Musiker. ⸺
5 Minnie Maus ist 20 Jahre alt. ⸺
6 Sigmund Freud ist Physiker. ⸺
7 Die Bee Gees kommen aus Irland. ⸺

E3 Was fehlt?

Finde sieben Unterschiede.

*Da ist kein/keine …
Da sind …*

eXtra

F1 Im Zirkus

a Sieh das Foto an. Welche Bildunterschrift passt?

1 ❓ Der Zirkusartist Karl Krone und seine Löwen.
2 ❓ Die Sensation: Ida Krone und ihre Löwendressur.
3 ❓ Circus Krone: Miss Charles zeigt ihre Katzen und Hunde.

b Lies und hör den Text. 🔊 **1** 43

c Ergänze die Fragen und finde die Antworten im Text.

❊ <u>Wie viele</u> ❊ Wer ❊ Wo ❊ Was ❊ Wann ❊ Wie ❊

CIRCUS KRONE

München, 1901: Ida Ahlers ist Zirkusartistin von Beruf. Ihre Spezialität: Die Löwendressur. Im Circus Krone zeigt Ida ihre Löwen. Die zwölf Großkatzen sind wie eine Familie für Ida. Sie mag ihre Löwen, und die Löwen mögen sie. Im Jahr 1901 ist das eine Sensation: Zwölf Löwen und eine Frau! Die Menschen finden das einfach toll. Und auch der Zirkusdirektor findet Ida toll. 1902 heiraten Carl Krone und seine Lieblingsartistin. Heute ist der Zirkus Krone in München wie eine kleine Stadt: 500 Menschen leben und arbeiten da. Der Zirkus hat sogar eine Fernsehshow. Die Show heißt „Stars in der Manege".

Die Zirkusdirektorin ist eine Frau: Christel Sembach-Krone. Ida und Carl sind ihre Großeltern.

1 ⬤ heiraten Carl und seine Lieblingsartistin? <u>1902</u>
2 ⬤ ist heute Direktorin im Circus Krone? ⬤
3 ⬤ finden die Menschen Ida Ahlers Löwendressur? ⬤
4 <u>Wie viele</u> Menschen leben und arbeiten im Circus Krone? ⬤
5 ⬤ ist der Circus Krone? ⬤
6 ⬤ ist „Stars in der Manege"? ⬤

F2 Adrians Familie

a Sieh das Foto an und lies Adrians Text im Forum. Wer ist wer?

Adrian
☆☆☆

Das ist meine Familie. Mein Bruder Mark ist 13 Jahre alt. Er mag Fußball und Comics. Sein Lieblingscomic ist „Asterix". Mein Vater heißt Heinrich. Er ist Ingenieur von Beruf, so wie sein Vater. Mein Vater ist 39 Jahre alt. Meine Mutter ist Lehrerin von Beruf. Sie heißt Anita und ist 35 Jahre alt. Meine Katze heißt Tina. Sie ist sooooooo süß! Sie ist auch da. Du findest sie sicher ...
Adrian

Adrians Bruder heißt Mark.

b Wie heißen die Personen?

F3 Such ein Familienfoto und schreib einen Text für das Forum.

🖊 <u>Hallo .... das ist meine Familie.</u>
<u>Mein Bruder/Meine Schwester heißt ... Er/Sie ist ... alt.</u>
<u>... findet er/sie super/schrecklich ...</u>
<u>Meine Mutter/Großmutter/Tante ist ... von Beruf ...</u>
<u>Mein Vater/Großvater/Onkel ist ... von Beruf ...</u>

Rosi Rot und Wolfi

Das ist meine Großmutter. — Sehr nett.
Und das ist mein Onkel. Er ist Jäger. — Oh Schreck!

Und das ist meine Mutter. — Fantastisch!

Familien in den deutschsprachigen Ländern

LK1 Fakten

a Lies und hör die Informationen. 1 44

Familien | Singles
60% | 40%

kein Kind
1 Kind
2 Kinder
3 oder mehr Kinder

38% | 38%
18%
6%

b Partnerarbeit. Frag und antworte.

⊙ Wie viele Familien haben kein Kind?
◆ ... Prozent.
⊙ ... Familien ... ein Kind?
◆ ...

Wie viele Menschen leben allein?

Vierzig Prozent.

LK2 Beispiele

a Drei Familien in Deutschland, in Österreich und in der Schweiz. Lies und hör die Texte. Ergänze die Tabelle. 1 45-47

	Familie Henningsen	Familie Berger	Familie Tissot
Stadt/Land	⬭	⬭	⬭
Kinder/Alter/Aktivitäten	⬭	⬭	⬭
Vater: Beruf	⬭	⬭	⬭
Mutter: Beruf	⬭	⬭	⬭

✿ Ski fahren

Das ist Familie Henningsen. Familie Henningsen lebt in Hamburg. Herr Henningsen ist Hafenarbeiter von Beruf. Seine Frau, Marlene, ist Sekretärin. Herr und Frau Henningsen haben zwei Söhne, Torsten und Jörg. Torsten ist 16 Jahre alt und Jörg ist 15. Torstens Lieblingssport ist Triathlon: schwimmen, Rad fahren und laufen. Torsten ist deutscher Jugendmeister im Triathlon. Jörg macht nicht so viel Sport wie sein Bruder. Er spielt Gitarre. Seine Band heißt „Nordwind".

Vomp ist eine kleine Stadt in Österreich. Familie Berger hat in Vomp ein Hotel. Viele Touristen machen dort Urlaub. Ski fahren ✿, Rad fahren und Wandern sind typische Urlaubsaktivitäten in

Vomp. Herr und Frau Berger fahren gerne Ski und sie wandern gerne, aber sie haben wenig Zeit. Sie arbeiten jeden Tag im Hotel. Die Bergers haben zwei Kinder, Maria und Karin. Maria ist 15 Jahre alt. Ihre Schwester Karin ist noch ein Baby. Maria tanzt gerne, und sie mag Jazz: Jamie Cullum ist ihr Lieblingssänger. Ihr Lieblingssport ist natürlich Skifahren.

Catherine und Yvonne Tissot wohnen in Genf. Catherines Mutter ist Ärztin von Beruf, ihr Vater ist Ingenieur und lebt in Frankreich. Catherines Eltern sind geschieden. Catherines Muttersprache ist Französisch, aber sie lernt auch Italienisch und Deutsch. Deutsch ist in der Schweiz sehr wichtig. Für viele Schweizer (60 %) ist Deutsch die Muttersprache. Catherine mag Italienisch, Deutsch mag sie nicht. Aber ihr Lieblingssänger kommt nicht aus Italien. Er kommt aus Deutschland und heißt Herbert Grönemeyer.

b) Noch eine Familie aus Deutschland. Hör den Text und ergänze. 🔊 **①** 48

	Familie Körök
Stadt / Land	⋯
Kinder / Alter / Aktivitäten	⋯
Vater: Beruf	⋯
Mutter: Beruf	⋯

1 Lieblingssänger **2** Kaufmann **3** zwanzig **4** lebt **5** Freunde **6** Hausfrau **7** sechzehn **8** Fußball **9** vierzehn **10** Popmusik **11** Brüder **12** keinen

Familie Körök **4** in Berlin. Herr Körök ist **?** von Beruf. Seine Frau ist **?** . Yussuf Körök ist **?** Jahre alt. Seine **?** Erdil und Akim sind **?** und **?** Jahre alt. Yussufs Bruder Erdil hat **?** Job, er ist arbeitslos. Yussuf mag türkische **?** . Sein **?** ist Tarkan. Auch Yussufs **?** kommen aus der Türkei. Jeden Tag spielen sie zusammen **?** .

LK3 Und jetzt du!

a) Beschreibe eine Familie in deinem Heimatland.

Das ist Familie ...

Herr ... ist ... von Beruf. Frau ... ist ... Sie haben ... Kinder. ... ist ... Jahre alt. ... mag ... Sein / Ihr Lieblingssport ist ...

b) Gruppenarbeit. Lest die Texte in der Gruppe vor.
Was meint ihr? Was ist typisch? Was ist nicht so typisch? Sprecht auch in der Muttersprache.

P1 Sammelt Informationen und sucht Fotos.

a) Gruppenarbeit. Eine Lieblingsband, ein Lieblingssänger oder eine Lieblingssängerin.

Eine Band:

1 Wie heißt die Band?

2 Woher kommt die Band?

3 Wie heißen die Musiker?

4 Woher kommen die Musiker?
Wie alt sind sie?

5 Was sind ihre Instrumente?

6 Wer ist dein Lieblingsmusiker/
deine Lieblingsmusikerin
in der Band?

7 Wie heißen die CDs?

8 Wie heißen die Lieder?

Ein Sänger oder eine Sängerin:

9 Wie heißt der Sänger/die Sängerin?

10 Woher kommt er/sie?

11 Wie alt ist er/sie?

12 Spielt er/sie ein Instrument? /
Was ist sein/ihr Instrument?

13 Wie heißen seine/ihre CDs?

14 Wie heißen seine/ihre Lieder?

b) Schreibt einen Text. Der Text „Eine Band: Söhne Mannheims" ist ein Beispiel.

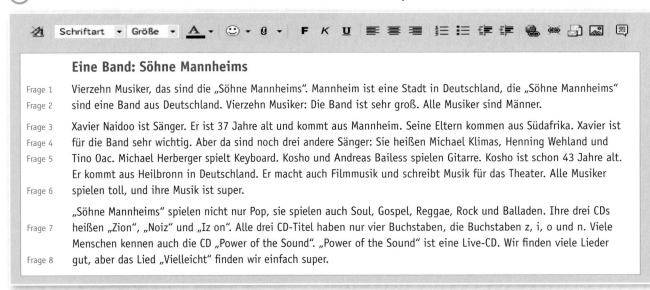

Eine Band: Söhne Mannheims

Frage 1 Vierzehn Musiker, das sind die „Söhne Mannheims". Mannheim ist eine Stadt in Deutschland, die „Söhne Mannheims"
Frage 2 sind eine Band aus Deutschland. Vierzehn Musiker: Die Band ist sehr groß. Alle Musiker sind Männer.

Frage 3 Xavier Naidoo ist Sänger. Er ist 37 Jahre alt und kommt aus Mannheim. Seine Eltern kommen aus Südafrika. Xavier ist
Frage 4 für die Band sehr wichtig. Aber da sind noch drei andere Sänger: Sie heißen Michael Klimas, Henning Wehland und
Frage 5 Tino Oac. Michael Herberger spielt Keyboard. Kosho und Andreas Bailess spielen Gitarre. Kosho ist schon 43 Jahre alt.
Er kommt aus Heilbronn in Deutschland. Er macht auch Filmmusik und schreibt Musik für das Theater. Alle Musiker
Frage 6 spielen toll, und ihre Musik ist super.

„Söhne Mannheims" spielen nicht nur Pop, sie spielen auch Soul, Gospel, Reggae, Rock und Balladen. Ihre drei CDs
Frage 7 heißen „Zion", „Noiz" und „Iz on". Alle drei CD-Titel haben nur vier Buchstaben, die Buchstaben z, i, o und n. Viele
Menschen kennen auch die CD „Power of the Sound". „Power of the Sound" ist eine Live-CD. Wir finden viele Lieder
Frage 8 gut, aber das Lied „Vielleicht" finden wir einfach super.

Die Band ... kommt aus ...
Die Musiker heißen ...
Er/Sie singt/spielt Gitarre/Keyboard/Schlagzeug ...
Er/Sie ist ... Jahre alt.
Die Musiker sind super/fantastisch ...
Die Musik ist ... Sie spielen ...
Ihre CDs heißen ... Viele Menschen kennen die Lieder ...
Das Lied ... finden wir ...

Der Sänger/Die Sängerin ... kommt aus ...
... ist ein Sänger/eine Sängerin aus ...
Er/Sie ist ... Jahre alt.
Er/Sie singt/spielt ...
Seine/Ihre CDs heißen ...
Sein/Ihr Lied ... finden wir ...

c) Macht ein Poster. Schreibt Texte für die Fotos.
Klebt die Fotos und die Texte auf das Poster.

d) Habt ihr ein Lieblingslied?
Habt ihr eine CD mit dem Lied?

• Klebstoff

• Schere

P2 Präsentiert das Projekt.

a) Übt die Präsentation und lest den Text laut.

b) Macht eine Präsentation für eine andere Gruppe oder für die Klasse. Am Ende spielt ihr das Lied.

Grammatik

Finde die Satzzitate 💬 in den Lektionen 1 – 4.

G1 Verb

a) Konjugation

*Woher **kommen** die Popgruppen?*

	kommen
ich	komme
du	komm**st**
er, es, sie	komm**t**
wir	komm**en**
ihr	komm**t**
sie	komm**en**

ich	-e
du	-st
er, es, sie, ihr	-t
wir, sie	-en

→ S.12

b) Konjugation (besondere Verben)

*Das **weiß** ich.*

	sein	haben	mögen	wissen
ich	bin	habe	mag	weiß
du	bist	hast	magst	weißt
er, es, sie	ist	hat	mag	weiß
wir	sind	haben	mögen	wissen
ihr	seid	habt	mögt	wisst
sie	sind	haben	mögen	wissen

→ S.15, 21, 32

G2 Artikel, Nomen und Pronomen

a) Eigennamen

Namen	
Sven	er
Lucia	sie
Agneta, Björn, Frida und Erik	sie

→ S.12, 13

Länder ohne Artikel	
Deutschland	aus Deutschland
Italien	aus Italien
Frankreich	aus Frankreich

Länder mit Artikel	
der Sudan (der Iran, ...)	aus **dem** Sudan
die Schweiz (die Türkei, ...)	aus **der** Schweiz
die USA (die Niederlande, ...)	aus **den** USA

→ S.12

*Das sind Frida und Erik. Sie kommen **aus** Schweden.*

*Marilyn Monroe kommt **aus den** USA.*

b) Nominativ Singular

*In Zeile 1 ist **eine Lampe**. **Die Lampe** ist hässlich.*

	Nomen	indefiniter Artikel	Negativartikel	definiter Artikel	Pronomen
maskulin	● Bleistift	**ein** Bleistift	**kein** Bleistift	**der** Bleistift	er
neutral	● Buch	**ein** Buch	**kein** Buch	**das** Buch	es
feminin	● Lampe	**eine** Lampe	**keine** Lampe	**die** Lampe	sie

→ S.14, 22, 40

c) Nominativ Plural

*Wie viele **Geschwister** hast du?*

*Ich habe zwei **Brüder**.*

Singular	Plural indefiniter Artikel und Nomen	
eine Lampe	① Lamp**en**	**-(e)n**: Schwester**n**, Zahl**en**, Brück**en**, ...
ein Bleistift	② Bleistift**e**	**-e/ ̈e**: Freund**e**, Söhn**e**, Tisch**e**, ...
ein Buch	③ Büch**er**	**-er/ ̈er**: Kind**er**, Länd**er**, Wört**er**, ...
ein Fenster	④ Fenster	**-/ ̈**: Kugelschreiber, Brüder, Mädchen, ...
ein Auto	⑤ Auto**s**	**-s**: Cousin**s**, Foto**s**, Hotel**s**, ...

→ S.38

	definiter Artikel		Negativartikel		Pronomen	
	Singular	**Plural**	Singular	**Plural**	Singular	**Plural**
maskulin	**der** Bleistift	**die** Bleistifte	**kein** Bleistift	**keine** Bleistifte	**er**	**sie**
neutral	**das** Buch	**die** Bücher	**kein** Buch	**keine** Bücher	**es**	**sie**
feminin	**die** Lampe	**die** Lampen	**keine** Lampe	**keine** Lampen	**sie**	**sie**

→ S.38, 40

d) Possessivartikel Nominativ

ich → **mein**	er (Tobias) → **sein**	sie (Lukas und Tom) → **ihr**
du → **dein**	sie (Nadine) → **ihr**	

*Was ist **deine** Tante von Beruf?*

*Paris ist **ihre** Lieblingsstadt.*

		zum Vergleich:
maskulin	mein/dein/sein/ihr Bleistift	kein Bleistift
neutral	mein/dein/sein/ihr Buch	kein Buch
feminin	mein**e**/dein**e**/sein**e**/ihr**e** Lampe	keine Lampe
Plural	mein**e**/dein**e**/sein**e**/ihr**e** Bleistifte, Bücher, Lampen ...	keine Lampen → S.22,30

*Das sind **meine** Bücher.*

e) Zusammengesetzte Nomen

der ● Tanz + die ● Lehrerin = die ● Tanzlehrerin

die ● Woche + der ● Tag = der ● Woche**n**tag

der ● Liebling + das ● Lied = das ● Liebling**s**lied   → S.30

*Was ist deine **Lieblingsstadt**?*

f) Genitiv

Ferdinand Porsche – sein Sohn = Ferdinand Porsche~~s~~ ~~sein~~ Sohn

Sophie – ihre Katze = Sophie~~s~~ ~~ihre~~ Katze

Deutschland – sein Frauenfußballteam = Deutschland~~s~~ ~~sein~~ Frauenfußballteam   → S.38

*Isabella Rossellini ist Ingrid Bergman**s** Tochter.*

g) Allgemeine Pronomen

das: Was ist **das?**    **es:** Da steht **es.** (es = der Satz, das Wort, die Frage, die Zeilen, ...)   → S.12,15

*Wie schreibt man **das**?*

G3 Satz

Position 2

a) Aussage

Meine Freundin	**heißt**	Nicole.
	Ich **finde**	Tennis langweilig.
Tennis	**finde**	**ich** langweilig.
	Ich **habe**	am Dienstag Fußballtraining.
Am Dienstag	**habe**	**ich** Fußballtraining.

Mädchen boxen nicht.

Wer ist das?

b) Frage

W-Frage   Wie **heißt** **du** ?

Ja/Nein-Frage   **Kennst** **du** Mafalda?   → S.24,29

Kommt er aus Frankreich?

c) Negation

nicht: Ich verstehe das **nicht** .

            Er kommt **nicht** aus Hamburg, er kommt aus Köln.

*Das weiß ich **nicht**.*

*Leonardo di Caprio ist **kein** Musiker, er ist Schauspieler.*

kein: Das ist **kein** Hund, das ist eine Katze. (nicht + (ein) + Nomen = **kein** + **Nomen**)   → S.16,40

Alltag

Fächer	
rsnummer	**Beschreibung**
Kurs Nr. 7	**Film** Hollywood und Deutschland
Kurs Nr. 8	**Einstein**
Kurs Nr. 9	**Literatur für Kinder** Rotkäppchen, Pinocchio, Struwwelpeter ...
Kurs Nr. 10	**Ballett für** Anfänger
Kurs Nr. 11	**Organische Chemie** Was essen und trinken wir? Chemische Analysen
rs Nr. 12	**„Love and Shakespeare"** „Rome and Juliet" und other plays
	sik Musical, Ja

Das sind die Themen in Modul 2:

Ordne die Themen zu.

1 Intelligenztests

2 Lieblingssendungen im Fernsehen

3 Was essen Skispringer, was essen Sumoringer?

4 Essen und Trinken am Schulkiosk

5 Freizeitgewohnheiten: Billard oder Fernsehen

6 Eine Hotline gegen Liebeskummer

Du lernst ...

Sprechen

- Essen und Trinken bestellen
- über Essen und Trinken sprechen
- über Schulfächer und den Stundenplan sprechen
- nach dem Befinden fragen und antworten
- über Gefühle sprechen
- höfliche Fragen stellen
- über Fernsehgewohnheiten und -vorlieben sprechen

Schreiben

- eine Antwort auf eine Einladung schreiben
- eine E-Mail-Antwort auf eine Anfrage schreiben
- einen Kurztext für die Schülerzeitung schreiben
- eine E-Mail zum „Europatag in der Schule" schreiben

...e Fernsehhits?

...mag Dokumentationen
...ows. Meine Lieblings-
... „Wer wird Millionär?".
...Quizsendung. Mein Bruder
...ndung nicht. Er findet sie
...ber ich finde die Quizfragen intere...
...en sind oft richtig. Ich möchte
...llionär?" **(G)** (?) ...t... ...hen. Ich
... filme ...

Hier ENTWERTEN ✓

MVV

Einzelfahrt
1 Zone
51 ***2,30 EUR
**0,15 EUR MwSt.

Gültig ab Entwertung 3 Std.
Rück- und Rundfahrten
nicht zugelassen

00221618   24.07.08
(H) ...01   15:01

♥♥🖤♥♥   **D...**

. Was ist los? Was ist los? Ich weiß es nicht.
Wo ich gehe oder stehe, immer seh' ich dein Gesicht.
Was ist los? Was ist los? Was ist los?
Oh Gott, ... ich glaube, meine Liebe ist zu groß!

2 Ich lese meine ⬤⬤⬤ und was sehe ich da:
Eine Liebes-Hotline? Ist ja wunderbar!
„⬤⬤⬤ Sie Ihr Telefon und rufen Sie an.
Ich löse Ihr ⬤⬤⬤." Ist ja einfach, Mann!

Guten Tag, hier ist Doktor Brehms Liebes-Hotline ...
„...h, guten Tag ... Ich b...che... ...ilfe, ich ...
...ht schlafen? Dann d...
(I) (?)

(J) (?)

...stein	140	150	160	170	180
Goethe	120	150	170	190	200
...Warhol	180	140	100	85	130
...ates	110	160	130	200	140

(K) (?)

(L) (?)

7 *Ich nehme doch den Filmkurs.*

8 Zirkus ist Manuelas Lieblingsfach

9 *Hier ist ein Fahrschein für Sie!*

10 Hilfe für Sri Lanka

11 *Wie schmeckt das?*

12 Fernsehserien aus den USA

 Hörtexte

- Ein Rap
- Marias Fernsehwoche
- Manuelas Stundenplan
- Jugendliche und ihr Leben (Am Kiosk, Im Autobus,
  Wahlfächer, Fernsehen oder Billard?)

 Lesetexte

- „Ärzte ohne Grenzen" in Sri Lanka
- Besondere Speisen und Getränke
- Besondere Schulfächer
- Die Essgewohnheiten zweier Sportler
- Amerikanische Fernsehserien
- Ist Fernsehen gesund?

Wie schmeckt das?

A1 Hase oder Känguru?

a Hör zu. Wo essen Menschen das? Was meinst du? Ordne zu. 🔊 2 1

? • Seegurke (-n)

A

? • Klapperschlange (-n)

B

? • Schnecke (-n)

C

*Ich denke, Seegurken essen
die Menschen in …*

1 Texas **2** Thailand **3** Frankreich
4 Australien **5** Japan **6** Deutschland

D
? • Känguru (-s)

E
? • Heuschrecke (-n)

F
? • Hase (-n)

b Wie schmeckt das? Was glaubst du?

Du hast Hunger: Was schmeckt gut ☺, nicht schlecht 😐, schrecklich ☹ ?

*Ich glaube, Heuschrecken
schmecken gut!*

A2 Was ist „Namako"? Was denkst du?

1 ? ein Restaurant in Frankreich   **2** ? eine Speise in Japan

A3 Lies und hör den Text. ② 2

Sind deine Vermutungen in A1 und A2 richtig?

---

http://www.essen.org

Aus aller Welt

Klapperschlange à la carte?

„Namako, einmal Namako bitte!" Verena ist in Japan in einem Restaurant. Sie hat Hunger. Sie spricht kein Japanisch, und sie kennt auch das Wort „Namako" nicht. Aber das Wort ist sehr einfach und es steht auf der Speisekarte. Verena mag das Wort, sie nimmt einmal Namako.

Das Essen kommt und es schmeckt nicht schlecht. Doch was isst Verena da? Auf Deutsch heißt Namako Seegurke. Seegurken sind eine traditionelle Speise in Japan.

Du findest das komisch? Die Menschen in Japan finden das normal.

Auch das ist normal:
Pierres Lieblingsspeise sind Schnecken. Pierre kommt aus Frankreich. Schnecken sind in Frankreich eine Spezialität.

Michael mag Kängurusteaks. In Australien isst man oft und gern Kängurufleisch.

Gai kommt aus Thailand. Sie isst gern Heuschrecken. Und David isst Klapperschlangen. Er kommt aus Houston in Texas.

Was wirklich komisch ist: Seegurken und Heuschrecken sind gesund, aber Pommes Frites nicht!

Übrigens: Viele Menschen in Deutschland essen Hasenfleisch. Das findet man in Japan komisch.

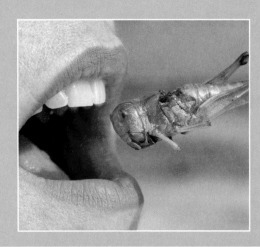

A4 Lies den Text noch einmal. Ergänze dann die Tabelle.

	... kommt aus ...	Er / Sie mag ...
Pierre	Frankreich	
Michael		
Gai		
David		

B1 Ich esse gern … Ich trinke gern …

a Was kennst du schon? Ordne zu.

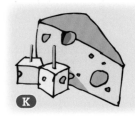

1	Hähnchen	A
2	Spinat	?
3	Käse	?
4	Joghurt	?
5	Orangensaft	?
6	Brot	?
7	Reis	?
8	Tee	?
9	Milch	?
10	Kaffee	?
11	Wurst	?
12	Fisch	?
13	Fleisch	?
14	Müsli	?
15	Honig	?
16	Eis	?

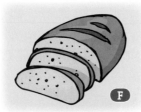

b Hör zu und vergleiche. 🔊 **2** 3

c Hör zu und ordne zu. 🔊 **2** 4

d Partnerarbeit. Macht Dialoge.

Ich esse / trinke gern …

Ich auch.

A ?   B ?

1 ⊙ Ich esse gern Spinat.
  ◆ Was? Spinat schmeckt doch schrecklich!
  ⊙ Nein. Spinat schmeckt sehr gut!

2 ⊙ Ich trinke gern Orangensaft.
  ◆ Ich auch.

B2   Suchbild

a   Such und schreib die ○ Pluralformen.

G	B	R	W	Y	T	O	Ü	Ö	Q	B
E	K	A	R	T	O	F	F	E	L	N
I	L	Z	W	A	M	N	W	I	T	Z
E	G	B	A	N	A	N	E	N	N	X
R	W	H	X	S	T	E	Ä	R	S	9
A	P	Ä	P	F	E	L	R	T	Ö	R
G	U	R	K	E	N	L	Z	U	M	G

 das Ei
die ○ Eier

 die Banane
die ○ ·····

 die Kartoffel
die ○ ·····

 der Apfel
die ○ ·····

 die Tomate
die ○ ·····

 die Gurke
die ○ ·····

b   Partnerarbeit. Fragt und antwortet.

⊙ Magst du ○ Äpfel?

◆ Ja, sehr gern. / ◆ Nein, nicht so gern.

Was? ... finde ich ...

... schmeckt schrecklich.

B3   Ordne die Wörter aus B1 und B2.

Getränke	Obst	Gemüse	Fleisch	Sonstiges
• Tee (–s)	• Apfel (∸)	• Kartoffel (–n)	·····	• Käse
·····	·····	·····	·····	·····

C1 Was isst man in ...?

a Lies das Beispiel und ergänze.

99 In Australien **isst** man oft und gern Kängurufleisch.

essen	
ich esse	wir essen
du **isst**	ihr esst
er, es, sie, man ⸺	sie essen

b Wo isst man was? Such die Informationen in **A3** und schreib Sätze.

In Japan isst man Seegurken.

In Thailand ...

 man = ein Mensch, Menschen

☺ Japan ☺ Texas ☺ Frankreich ☺
☺ Australien ☺ Thailand ☺ Deutschland ☺

c Lies das Beispiel und ergänze.

99 Sie **nimmt** einmal Namako.

nehmen	
ich nehme	wir nehmen
du **nimmst**	ihr nehmt
er, es, sie, man ⸺	sie nehmen

d Ergänze.

1 ⊙ Ich *nehme* Hähnchen.
   Was ⸺ du?
   ◆ Ich ⸺ Fisch.

2 ⊙ Was ⸺ ihr?
   ◆ Wir ⸺ Orangensaft.

3 ⊙ Schau, Herr Berger
   ⸺ auch Hamburger.
   ◆ Ja, warum nicht?

Speisekarte
Hähnchen   9,50 €
Fisch   11,20 €
Hamburger   8,50 €
Orangensaft   2,00 €

C2 Sprichst du ...?

a Was passt? Ergänze und ordne zu.

99 Verena **spricht** kein Japanisch.

sprechen	
ich spreche	wir sprechen
du **sprichst**	ihr sprecht
er, es, sie, man ⸺	sie sprechen

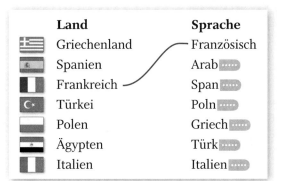

Land	Sprache
Griechenland	Französisch
Spanien	Arab ⸺
Frankreich	Span ⸺
Türkei	Poln ⸺
Polen	Griech ⸺
Ägypten	Türk ⸺
Italien	Italien ⸺

In Frankreich spricht man ...

b Partnerarbeit. Macht Dialoge.

⊙ Sprichst du Griechisch? Was heißt das?
◆ Ich spreche kein Griechisch.
   Aber das Wort kenne ich. Das heißt ...

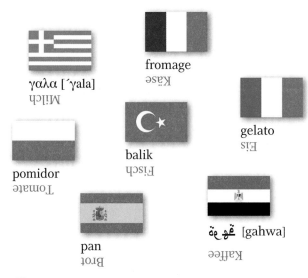

γαλα [´γala]
Milch

fromage
Käse

pomidor
Tomate

balik
Fisch

gelato
Eis

pan
Brot

قَهْوَة [gahwa]
Kaffee

c Gruppenarbeit. Findet andere Wörter und macht Dialoge wie in **b**.

D1 Speisen und Getränke

a) Was fehlt? Schreib die Wörter 1–12 richtig.

● Kakao

● Mineralwasser

● Toast

● Eistee

● Marmelade

● Kuchen

Guten Morgen!
7:00 – 10:00 Uhr
Frühstück

1	Kakao	0,80 €
	Milch	0,70 €
	Kaffee	1,20 €
	Tee	1,20 €
	Ei	0,60 €
2	Toast	0,50 €
3	Brötchen	0,50 €
4	Marmelade oder Honig	0,30 €
	Wurst	1,20 €
	Müsli	1,50 €
5	Kuchen	1,00 €
	Joghurt	0,60 €

Guten Appetit!
11:00 – 14:00 Uhr
Speisen und Getränke

	Hamburger	1,50 €
	Pizza	5,40 €
6	Pommes Frites	3,50 €
	Käsebrötchen	2,20 €
7	Orangensaft	1,50 €
	Cola	1,50 €
8	Mineralwasser	1,20 €
9	Eistee	1,50 €
10	Salat	2,40 €
11	Fisch	4,40 €
	Eis	3,00 €
12	Schokolade	2,00 €

 ● Schokolade   ● Salat

● Brötchen

b) Hör zu und sprich nach. 🔊 2 5

D2 Mach weiter, Jakob!

a) Am Morgen (Guten Morgen!)
oder am Mittag (Guten Appetit!)? Hör zu. 🔊 2 6

b) Welche Speisen und Getränke nennt Jakob?

c) Was nimmt Jakob?

1 ❓ ein Käsebrötchen   2 ❓ eine Cola   3 ❓ nichts

D3 Guten Morgen! Hör zu und ergänze. 🔊 2 7

1 ☉ Und was möchtest du?
◆ Einen ⬭ und ein ⬭.
☉ 2 € 30 bitte.

2 ☉ Ja bitte?
◆ Ich möchte einen ⬭ und ein ⬭ mit ⬭.
□ Hier, bitte sehr. Das macht 2 €.

3 ☉ Einen Kaffee, bitte.
◆ Hier, bitte sehr. Das macht 1 € 20.
☉ Ich möchte auch noch einen ⬭ und ein ⬭, bitte.
◆ Das macht dann 2 € 30.

möchten
ich möchte
du möcht**est**
er, es, sie, man möcht**e**
wir möchten
ihr möchtet
sie möchten

E1 „Ich nehme einen ● …"

🔊 ⊙ Was möchtest du?
◆ Ein**en** ● Hamburger, bitte. … Ach nein,
ich nehme doch d**en** ● Salat.

a Partnerarbeit. Macht den Satz so lang wie möglich.
12 Speisen und Getränke aus D1 passen!

⊙ Ich nehme einen ● Kakao.

◆ Ich nehme einen ● Kakao, einen ● Kaffee
und einen ● Tee.

⊙ Ich nehme einen ● Kakao, einen ● Kaffee,
einen ● Tee und …

b Partnerarbeit. Macht Minidialoge.

⊙ Möchtest du vielleicht
einen Tee?

◆ Nein danke.

⊙ Möchtest du vielleicht
ein Käsebrot?

◆ Nein, ein Käsebrot
möchte ich auch nicht.

Nominativ	Akkusativ
ein/der ● Hamburger	ein**en**/d**en** ● Hamburger
ein/das ● Brötchen	ein/das ● Brötchen
eine/die ● Pizza	eine/die ● Pizza

c Kennst du deinen Partner oder deine Partnerin?
Was nimmt er oder sie? Was meinst du?

⊙ Ich glaube, du nimmst den Müsliriegel. Du magst
keine Schokolade.

◆ Stimmt. / ◆ Doch, ich nehme die Schokolade.

d Wer bezahlt? Ergänze den Dialog.
Such die Preise in D1 und rechne.

⊙ Wer bezahlt?

◆ Oje, ich habe kein Geld. Bezahlst du meinen
Orangensaft und mein Eis, Georg?

☐ Gut. Also, ich bezahle mein Käsebrötchen, ihren
Orangensaft und ihr Eis.

⊙ Das macht ●●●●●.

e Georg hat 6 €. Hat er genug Geld?
Was ist richtig? A oder B?

A ❓	**B** ❓
Er hat genug Geld.	Er hat nicht genug Geld.
↓	↓
Georg: Hier, bitte.	Georg: Oje, ich habe nur 6 €.

f Hör den Dialog und vergleiche. 🔊 **2** **8**

g Dreiergruppen. Schreibt und spielt Dialoge mit den
Speisekarten in D1.

⊙ Wer bezahlt?

◆ Oje, ich habe kein Geld.
Bezahlst du meinen/
mein/meine …?

☐ Gut, also ich bezahle
meinen/mein/meine …,
ihren/ihr/ihre … und seinen/sein/seine …

⊙ Das macht …

☐ Hier, bitte. / ☐ Oje, ich habe nur …

Akkusativ
Ich bezahle
meinen ● Kuchen,
ihren ● Orangensaft
und **seinen** ● Toast.

F1 Dejima und Margit

a Lies und hör die Texte genau.   **2** 9

am Morgen   am Mittag   am Abend

Essen und Trinken sind sehr wichtig für Dejima Wakunasato. Er kommt aus Japan und ist Sumoringer. Er ist 1 Meter 80 groß und wiegt 250 Kilogramm. Am Morgen isst er nichts.
Am Mittag isst er viel Reis und Gemüse. Dann schläft er drei Stunden. Am Abend isst er auch Reis und Gemüse, aber mit viel Fleisch.

Margit Leitner ist Skispringerin. Sie kommt aus Österreich. Sie ist 1 Meter 72 groß und wiegt 52 Kilogramm. Skispringer essen nicht viel. Margit isst am Morgen oft Müsli mit Milch. Dazu trinkt sie Tee. Am Mittag isst sie oft Spaghetti oder Fisch mit Gemüse. Am Abend isst sie Salat oder einen Teller Suppe und trinkt Tee mit Honig.

b Ein Merkspiel. Was weißt du noch? Deine Partnerin / Dein Partner fragt, du antwortest. Deine Partnerin / Dein Partner hat ein Buch, du hast kein Buch.

F2 Müsli oder Toast?

Lies Tante Ernas E-Mail und schreib eine Antwort.

Wer isst am Morgen nichts?

Richtig.

Der Sumoringer.

✉ Nachricht — ☐ ✕

Von ... | Tante Erna
Betreff | Wochenende

Hallo ·····,
Du kommst am Wochenende nach München. Das ist toll! Was isst und trinkst Du gerne? Magst Du am Morgen Müsli oder isst Du gerne Toast? Am Samstag mache ich Pizza. Das magst Du sicher auch, oder? Was isst Du am Abend gern? Was ist Deine Lieblingsspeise?
Bis bald
Tante Erna

✉ Nachricht — ☐ ✕

An ... | Tante Erna
Betreff | AW: Wochenende

Liebe Tante Erna,
meine Lieblingsspeise ·····
Am Morgen esse ich gerne ····· und ich trinke oft ·····
····· mag ich gerne ····· mag ich nicht so gerne
Am Abend ·····
Aber Essen und Trinken ist nicht so wichtig. Du und Onkel Franz, Ihr seid wichtig. :-)
Liebe Grüße
·····

Rosi Rot und Wolfi

Du isst nichts?

Ich warte.

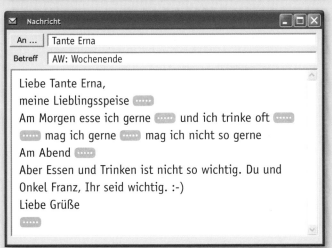

Sie möchte noch einen Hamburger.

Sie möchte noch ein Eis.

Warum lernen ...?

A1 **Schulfächer**

a Sieh die Bilder an. Welche Schulfächer haben die Jugendlichen? Was meinst du?

Sport   Musik   Religion   Biologie

② Einrad fahren: Zirkus oder Schule?

① Die Schule ist ein Tempel.

③ Naturschutz: Die Natur in Nepal ist in Gefahr.

b Wo besuchen sie die Schule? Was meinst du?

✪ Afrika ✪ Asien ✪ Europa ✪ Nordamerika ✪ Südamerika ✪

In Bild 1 besuchen die Jugendlichen eine Schule in ...

Ja, genau.

Nein, ich denke das ist in ...

A2   Besondere Schulfächer 🔊 ② 10

a Lies und hör den Text. Vergleiche den Text und deine Antworten in A1.

Ich glaube, in Bild 1 haben die Jugendlichen Sport.

Nein, sie haben …

In Bild 2 haben sie …

Ja, genau.

④ Eine Schule für Straßenkinder

Besondere Schulfächer: In Fußball eine Eins

Viele Schüler müssen in der Schule rechnen, schreiben und lesen. Sie haben Schulfächer wie Mathematik, Physik, Englisch oder Sport. Doch Charlee, Julio, Manuela und Binud haben besondere Schulfächer:

Charlee Chakuh kommt aus Thailand. Seine Schule ist ein Tempel in Wat Srisoda. Besondere Schulfächer in Wat Srisoda sind Buddhismus und Medizin. Warum Medizin? Thailand hat nicht genug Ärzte. Deshalb muss Charlee Kurse in Medizin machen.

Julio kommt aus São Paulo in Brasilien. Sein Lieblingsfach ist Fußball. Julio besucht eine Fußballschule für Straßenkinder.

Manuela Winkler aus Deutschland kann Einrad fahren. In Manuelas Schule ist „Zirkus" ein Schulfach wie Deutsch oder Mathematik.

Binud Gorong kommt aus Nepal. Ein besonderes Schulfach in Nepal ist Naturschutz. Warum Naturschutz? Viele Menschen sind Bauern von Beruf und die Natur ist die Basis für ihr Leben. Aber die Natur in Nepal ist in Gefahr. Deshalb ist Naturschutz ein wichtiges Schulfach in Nepals Schulen.

b Lies den Text noch einmal. Wie heißen die „besonderen" Schulfächer in Charlees, Julios, Manuelas und Binuds Schulen?

c Was ist richtig? A ? oder B ?

		A	B
1	Charlee Chakuh kommt aus	? Thailand.	? Nepal.
2	Charlees Schule ist	? ein Tempel.	? in Afrika.
3	Thailand hat nicht genug	? Schüler.	? Ärzte.
4	Julios Lieblingsfach ist	? Sport.	? Fußball.
5	Manuela Winklers Schule ist	? ein Zirkus.	? in Deutschland.
6	Viele Menschen in Nepal sind	? Bauern.	? Lehrer von Beruf.

B1 Lieblingsfächer

(a) Ordne zu. Hör zu, vergleiche und sprich nach. 2 11

1 ?

A	Mathe(matik)
B	Deutsch
C	Musik
D	Chemie
E	Englisch
F	Sport
G	Informatik
H	Kunst
I	Erdkunde
J	Wahlfach
K	Geschichte

5 ?

How are you?

2 ?

6 ?

3 ?

4 A

7 ?

8 ?

(b) Partnerarbeit. Habt ihr die Schulfächer in a auch? Habt ihr andere Schulfächer?

Wir haben auch …

… haben wir nicht.

Wir haben auch noch …

(c) Partnerarbeit. Wählt eure fünf Lieblingsfächer. Macht eine Liste und vergleicht.

Lieblingsfächer:
Chemie
Deutsch

⊙ Was ist dein Lieblingsfach?
◆ Mein Lieblingsfach ist …

⊙ Magst du …?
◆ Ich mag …

(d) Berichtet in der Klasse.

Mein / Marias Lieblingsfach ist …

B2 Manuelas Stundenplan ❷ 12

a Hör zu und ergänze die Unterrichtsfächer.

✪ Deutsch (2x) ✪ Zirkus ✪ Französisch ✪ Geschichte ✪ Englisch ✪

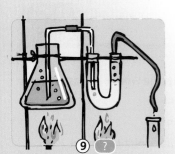

Montag	Dienstag	Mittwoch	Donnerstag	Freitag
Erdkunde	⬚	⬚	Religion	Geschichte
Englisch	Sport		⬚ (Wahlfach)	Mathematik
Französisch (Wahlfach)	Mathematik	Kunst		⬚
⬚		Kunst	Englisch	Erdkunde
Religion	Deutsch	Chemie	Mathematik	Chemie
Zirkus		⬚		Sport

b Hör noch einmal und ergänze.

1 ☉ Welche Fächer mag Manuela?
  ◆ Manuela mag ⬚, aber sie mag ⬚ nicht.

2 ☉ Welches Fach nennt sie nicht?
  ◆ ⬚ nennt sie nicht.

3 ☉ Was ist ein Wahlfach in Manuelas Schule?
  ◆ ⬚ ist ein Wahlfach.

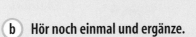

Wir beide mögen ...,
aber ... mögen wir nicht.

C1 Schulfächer und Tätigkeiten

> **"** Viele Schüler **müssen** in der Schule **rechnen**, **schreiben** und **lesen**. ...

a Lies das Textzitat. Ergänze die Tabelle.

> **müssen**
>
> Ich **muss** Hausaufgaben **machen**.
> Du **musst** Hausaufgaben **machen**.
> Er / Es / Sie / Man **muss** Hausaufgaben **machen**.
> Wir **müssen** Hausaufgaben **machen**.
> Ihr **müsst** Hausaufgaben **machen**.
> Sie ▭ Hausaufgaben **machen**.

b Welche Schulfächer haben die Jugendlichen? Was müssen sie tun? Hör zu, ordne zu und ergänze die Sätze. 🔊 ❷ 13

> ✪ Mathematik ✪ Französisch ✪
> ✪ Erdkunde ✪ Sport ✪ Englisch ✪
> ✪ Biologie ✪ Informatik ✪

1 Sabine und Kurt haben ▭. Sie müssen ▭.
2 Herbert hat ▭. Er muss ▭.
3 Walter ▭. Er ▭.
4 Karin und Elisabeth ▭. Sie ▭.

> ✪ eine Pyramide zeichnen
> ✪ alle EU-Länder nennen
> ✪ einen Handstand machen ✿
> ✪ „Le Petit Prince" lesen

C2 Kannst du das?

> **"** Manuela Winkler aus Deutschland **kann** Einrad **fahren**.

a Partnerarbeit. Verwendet die Wörter im Kasten und findet zwei neue Fragen.

⊙ Kannst du Gitarre spielen?
◆ Ja, das kann ich. / ◆ Ja, aber nicht sehr gut. /
　◆ Nein, das kann ich nicht.

> ✪ schwimmen ✪ einen Handstand machen ✪
> ✪ Gitarre spielen ✪ schnell rechnen ✪
> ✪ singen ✪ Einrad fahren ✪ kochen ✿ ✪ ...

> **können**
>
> | ich **kann** | wir können |
> | du **kannst** | ihr könnt |
> | er, es, sie, man **kann** | sie können |

✿ kochen

b Gruppenarbeit. Macht eine Klassenstatistik und berichtet in der Klasse.

| Gitarre spielen | 4 |
| Einen Handstand machen ... | 0 |

... können Gitarre spielen.

Nur Markus kann ...

Niemand kann ...

... können einen Handstand machen.

ⓘ 0 Personen = niemand

C3 Warum magst du Mathe?

> **"** **Warum** Medizin? Thailand hat nicht genug Ärzte. **Deshalb** muss Charlee Kurse in Medizin machen.

a Schreib drei Sätze wie in den Beispielen.

Ich kann gut Fußball spielen, deshalb mag ich Sport.
Ich finde Computer interessant, deshalb mag ich Informatik.
Ich kann nicht so gut ▭, deshalb mag ich ▭ nicht so gern.

b Kettenübung.

Claudio: Ich kann gut Fußball spielen, deshalb mag ich Sport.

Anna: Claudio kann gut Fußball spielen, deshalb mag er Sport. Ich ...

Maja: Claudio kann ...

> Ich liebe Zahlen. **Warum** magst du Mathe? **Deshalb** mag ich Mathe.

D1 Wahlfächer

a Lies die Webseite. Was findest du interessant?

Address www.goetheschule.de Go Links »

Wahlfächer

Kursnummer	Beschreibung	Lehrperson	Zeit	Teilnehmerzahl	Details
Kurs Nr. 7	**Film** Hollywood und Deutschland	Frau Puntigam	Mo und Mi 14:00 - 16:00	max. 20	→
Kurs Nr. 8	**Einstein**	Frau Müller	Di und Fr 12:00 - 13:00	max. 25	→
Kurs Nr. 9	**Literatur für Kinder** Rotkäppchen, Pinocchio, Struwwelpeter ...	Herr Konrad	Do 14:00 - 16:00	max.15	→
Kurs Nr. 10	**Ballett** für Anfänger	Frau Fischer	Di 16:00 - 18:00	max.15	→
Kurs Nr. 11	**Organische Chemie** Was essen und trinken wir? Chemische Analysen	Frau Klaar	Mi 11:30-13:00	max.10	→
Kurs Nr. 12	**„Love and Shakespeare"** „Romeo and Juliet" and other plays	Herr Mayer	Mo 16:00-18:00	max. 20	→
Kurs Nr. 13	**Musik heute** Musical, Jazz, Pop, ...	Herr Eibinger	Fr 8:00 - 9:30	max. 20	→

Internet

b Hör zu. Notiere die Antworten. 🔊 ② 14

1 Welche Kurse nennen die Schüler?   *Kurs Nr. 8,* ⋯⋯

2 Was nimmt Sabine, was nimmt Michael, was nimmt Monika?   ⋯⋯

3 Warum nimmt Michael Ballett?   ⋯⋯

c Hör noch einmal. Was passt zusammen? Verbinde die Sätze.

1 Was nehme ich nur?

2 Ich kann nicht gut rechnen, ich nehme doch den Filmkurs.

3 Da, „Love and Shakespeare", das ist vielleicht gut.

4 Monika nimmt den Kurs auch.

5 Und was nimmst du? Das nehme ich dann auch.

6 Ballett?

a Nimm das nicht, das ist total langweilig.

b Was heißt das, Monika nimmt den Kurs auch?

c Nimm doch den Physikkurs.

d Warum nicht?

e Ballett.

f Ach komm, ich kann auch nicht gut rechnen.

E1 Nimm doch ...!

a Hör zu und ergänze. 🔊 2 15

⊙ „Film" oder „Einstein", was nehme ich nur?
◆ **Nimm** doch den Physikkurs.

1 ⊙ Was nehme ich nur?
◆ Du kannst gut rechnen, ⚫⚫⚫⚫ doch den Physikkurs.

2 ⊙ Was nehmt ihr?
◆ Keine Ahnung.
⊙ ⚫⚫⚫⚫ doch auch den Tanzkurs. Am Mittwoch habt ihr doch Zeit, oder?

Imperativ	
du nimmst	**Nimm!**
ihr nehmt	**Nehmt!**

b Sieh die Wahlfächer in **D1** an. Welches Argument passt für welchen Kurs? Gib Ratschläge.

1 „Du magst doch Musicals. Nimm ⚫⚫⚫⚫"

2 „Du findest doch Frau Fischer so sympathisch. ⚫⚫⚫⚫"

3 „Ihr mögt doch Filme aus Deutschland. ⚫⚫⚫⚫"

4 „Ihr müsst noch einen Chemiekurs machen. ⚫⚫⚫⚫"

5 „‚Romeo und Julia' ist toll, findest du nicht? ⚫⚫⚫⚫"

6 „Ihr habt doch auch am Donnerstag Zeit. ⚫⚫⚫⚫"

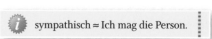 sympathisch ≈ Ich mag die Person.

E2 Was ist „in"?

a Partnerarbeit. Ergänzt die Tabelle.

für Mädchen			für Jungen		
cool 😊	okay 😐	uncool ☹️	cool 😊	okay 😐	uncool ☹️
1	**?**	**?**	**?**	**?**	**1**
...					

1 Ballett tanzen **2** Gitarre spielen **3** MP3 hören **4** boxen **5** Fußball spielen
6 einen Handstand machen **7** SMS schreiben **8** E-Mails schreiben **9** Hamburger essen
10 Milch trinken **11** Bus fahren **12** Einrad fahren **13** Kreuzworträtsel lösen **14** Moped fahren
15 Krimis lesen **16** Mädchenzeitschriften lesen **17** Beethoven hören **18** Fahrrad fahren ...

b Schreib Imperativformen. Nimm Verben aus **a**.

nehmen	d̶u̶ nimmst	Nimm!	i̶h̶r̶ nehmt	Nehmt!
spielen	⚫⚫⚫⚫	⚫⚫⚫⚫	⚫⚫⚫⚫	⚫⚫⚫⚫
fahren	d̶u̶ fährst	Fahr!	ihr fahrt	Fahrt!
...				

c Partnerarbeit. Schreibt Tipps für coole Mädchen und Jungen.

Tipps für coole Mädchen	Tipps für coole Jungen
Spielt Fußball.	Esst ...
Lernt Deutsch.	...
...	

F1 Denksport. Lies und hör den Text. Lös die Aufgabe. 2 16

Wer oder was ist „Ei-Kju"?

Bist du „intelligent"? – Ja, natürlich.
Aber wie intelligent bist du? Die Antwort hat dein „Ei-Kju"!
Doch wer oder was ist ein „Ei-Kju"? „Ei" ist der englische Buchstabe I, und „Kju" ist der Buchstabe Q. „Ei-Kju" heißt IQ. Auf Englisch „Intelligence Quotient", auf Deutsch „Intelligenzquotient".
(Kannst du „Intelligenzquotient" dreimal schnell sagen?)
Normal ist ein „Ei-Kju" von 90 bis 110. Aber wie hoch ist der „Ei-Kju" von Einstein, Leonardo da Vinci, Goethe, Andy Warhol und Bill Gates?
Such die Antwort im Rätsel. Kann dein „Ei-Kju" sie finden?

Ein Bild passt nicht. Die Zahl dort ist der „Ei-Kju".

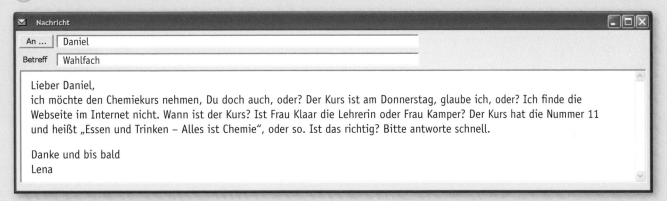

Einstein	140	150	160	170	180	Einsteins IQ ist 160.
Goethe	120	150	170	190	200	⸺
Andy Warhol	180	140	100	85	130	⸺
Bill Gates	110	160	130	200	140	⸺

Lösung: S. 137

F2 Wann ist der Kurs?

a Lies Lenas Mail. Welche vier Fragen hat sie? Lies die Fragen vor.

✉ Nachricht   ▭ ▢ ✕

An ... | Daniel
Betreff | Wahlfach

Lieber Daniel,
ich möchte den Chemiekurs nehmen, Du doch auch, oder? Der Kurs ist am Donnerstag, glaube ich, oder? Ich finde die Webseite im Internet nicht. Wann ist der Kurs? Ist Frau Klaar die Lehrerin oder Frau Kamper? Der Kurs hat die Nummer 11 und heißt „Essen und Trinken – Alles ist Chemie", oder so. Ist das richtig? Bitte antworte schnell.

Danke und bis bald
Lena

b Schreib eine Antwort.

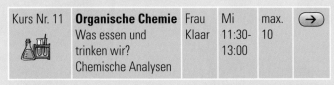

Kurs Nr. 11	**Organische Chemie** Was essen und trinken wir? Chemische Analysen	Frau Klaar	Mi 11:30-13:00	max. 10	→

✉ Nachricht   ▭ ▢ ✕

An ... | Lena
Betreff | AW: Wahlfach

Liebe Lena,
ich nehme auch ⸺. Der Kurs heißt ⸺. Der Kurs ist
am ⸺. Die Lehrerin ⸺.
Liebe Grüße

Rosi Rot und Wolfi

Brauchen Sie Hilfe?

A1 Senas Lieblingsplatz

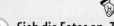

a Sieh die Fotos an. Zeig die Wörter.

● Strand   ● Meer   ● Welle

b Ordne zu.

Das Meer ist blau und ruhig. Bild ? ?

Das Meer ist grau und schwarz. Bild ? ?

A Tsunami: Die Welle kommt.

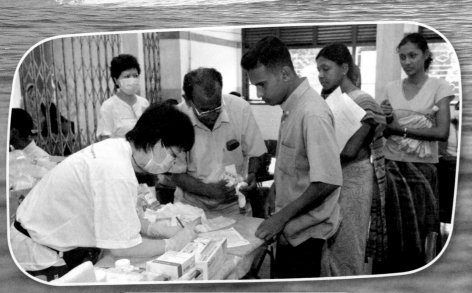

C „Ärzte ohne Grenzen" in Sri Lanka

A2 Die Welle

a Lies und hör den Text. Ordne die Fotos chronologisch.

Bild A .....
Bild B .....
Bild C .....
Bild D .....

 2 17

B Sri Lanka: Das Meer ist blau, der Strand ist weiß.

Die Welle

Dezember 2004: Ein Morgen in Sri Lanka. Der Strand ist Senas Lieblingsplatz. Sie zeichnet das Meer, den Strand und die Menschen. Das Meer ist blau, ruhig und wunderschön ... Da kommt die Welle. Sena kann sehr schnell laufen, aber heute ist sie nicht schnell genug. Sie hat keine Chance gegen das Meer. Plötzlich ist überall Wasser. Sena muss schwimmen. Das Meer ist jetzt nicht mehr blau und schön, sondern braun, hässlich und gefährlich.

Später suchen Sena und ihre Eltern ihr Haus. Aber sie finden es nicht. Viele Familien haben keine Häuser mehr, und auch Senas Schule ist weg. Drei Tage lang muss Senas Familie ohne Haus, ohne Essen und ohne Trinkwasser leben.

Sena hat jetzt einen anderen Lieblingsplatz. Sie zeichnet auch wieder Bilder, aber ihr Meer ist jetzt grau und schwarz.

Dann kommt Hilfe: Ärzte aus Europa. Sie arbeiten für „Ärzte ohne Grenzen" und bringen Medizin und Essen. Heute kann Sena wieder eine Schule besuchen. Ihre Bilder haben heute wieder helle Farben. Und später will sie Ärztin werden.

D Senas Meer ist grau und schwarz.

b Lies und hör den Text noch einmal. Beantworte die Fragen.

1 Wo lebt Sena?
2 Was macht Sena am Strand?
3 Die Welle kommt. Was macht Sena?
4 Die Welle ist weg: Wie muss Senas Familie leben?
5 Was machen die Ärzte und Ärztinnen?
6 Was will Sena später werden?

B1 Farben

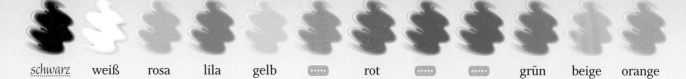

99 Das Meer ist **blau**, ruhig und wunderschön.

a Ergänze, hör zu und sprich nach. 🔊 ② 18

schwarz   weiß   rosa   lila   gelb   ⋯⋯   rot   ⋯⋯   ⋯⋯   grün   beige   orange

b Hell oder dunkel? Ordne die Farben aus **a**.

99 Ihre Bilder haben heute wieder **helle** Farben.

hell	dunkel
gelb	⋯⋯
⋯⋯	

ⓘ **hell**blau   **dunkel**blau

hellrot   **dunkel**rot

hellgrün   **dunkel**grün

...   ...

B2 Gefühle

a Ordne zu.

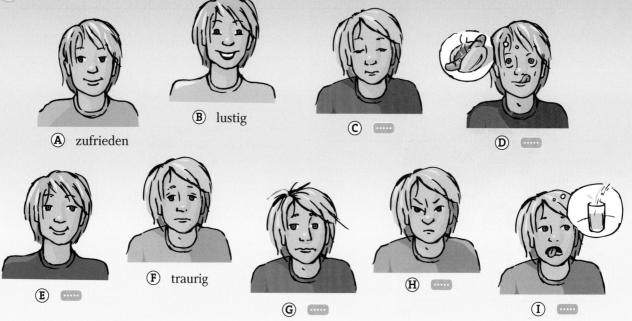

Ⓐ zufrieden   Ⓑ lustig   Ⓒ ⋯⋯   Ⓓ ⋯⋯

Ⓔ ⋯⋯   Ⓕ traurig   Ⓖ ⋯⋯   Ⓗ ⋯⋯   Ⓘ ⋯⋯

✪ müde ✪ wütend ✪ glücklich ✪ nervös ✪ durstig ✪ hungrig ✪

b Hör zu, vergleiche und sprich nach. 🔊 ② 19

c Hör zu. Welche Gefühlswörter passen zu den Situationen?

Situation 1: *wütend* Situation 3: •••• Situation 5: ••••

Situation 2: •••• Situation 4: •••• Situation 6: ••••

d Partnerarbeit. Sprecht über die Situationen.

1 Du verstehst die Mathematikhausaufgabe nicht.

2 Du lernst sehr lange, es ist 23 Uhr.

3 Deine Lieblingsmannschaft gewinnt!

4 Du kannst deine Lieblings-CD nicht finden.

5 Dein Test ist sehr gut. Deine Lehrerin ist zufrieden.

6 Du möchtest eine Pizza und eine Cola. Du hast kein Geld.

Wie geht es dir da?

☉ Du verstehst die Mathematikhausaufgabe nicht. Wie geht es dir da?

◆ Gut. / ◆ Nicht so gut. / ◆ Schlecht. / ◆ Ich bin nervös. Und dir?

☉ Ich bin auch ... / ☉ Ich bin nicht ...

B3 Assoziationen, Farben und Gefühle

a Partnerarbeit. Ordnet zu und vergleicht.

☉ Ich denke, die Farbe für das Wort „traurig" ist grau.

◆ Ja, „traurig" ist wie grau oder schwarz.

☉ Für das Wort „lustig" passt gelb.

◆ Nein, ich finde, „lustig" ist grün.

b Lies den Text in **A2** noch einmal.
Finde für fünf Sätze eine Farbe und / oder ein Gefühlswort.

99 Ein Morgen in Sri Lanka.
Der Strand ist Senas Lieblingsplatz.

Farbe: gelb
Gefühlswort: glücklich

C1 Für meine Katze, für meinen Hund ...

a Finde die Sätze im Text in **A2** und ergänze.

✪ gegen ✪ für ✪ ohne ✪

1 Sena hat keine Chance *gegen* das Meer.

2 Senas Familie muss drei Tage lang ⸺ Essen und Trinkwasser leben.

3 Die Männer und Frauen aus Europa arbeiten ⸺ „Ärzte ohne Grenzen".

b Rechenrätsel.
Wie viel Geld kann Großvater Eugenius spenden?
Ergänze und rechne.

> Eine Spende für „Ärzte ohne Grenzen"? Na, ja. Ich brauche Geld für meine Tiere: für meinen Papagei, für meinen Hund, für mein Kaninchen und für meine Katze. Wie viel kann ich wohl spenden?

Großvater Eugenius hat etwas Geld. Ein Viertel braucht er für s⸺ Katze und ein Drittel braucht er für s⸺ Kaninchen und für s⸺ Hund. 13 Euro braucht er für s⸺ Papagei. Ohne s⸺ Katze, ohne s⸺ Kaninchen, ohne s⸺ Hund und ohne s⸺ Papagei kann er nicht sein. Aber ein Fünftel kann er spenden.

⅓ = ein Drittel
¼ = ein Viertel
⅕ = ein Fünftel

Brauchst du Hilfe?
x = x/4 + x/3 + 13 + x/5
Lösung: S. 137

für, gegen, ohne + Akkusativ
für mein**en** ● Papagei
für mein ● Kaninchen
für mein**e** ● Katze
für mein**e** ○ Tiere

C2 „Greenpeace" oder „UNICEF"?

„ Und später **will** sie Ärztin **werden**.

a Ordne zu und schreib Sätze.

✪ ein Foto machen ✪ Geld spenden ✪ ✪ eine Cola trinken ✪ Pizza essen ✪

Erika · Paul und Lena

Herr Sommer · Frau Winter

Erika will eine Cola trinken. Paul und Lena ...

wollen	
ich **will**	wir wollen
du **willst**	ihr wollt
er, es, sie, man **will**	sie wollen

b Wie viel willst du spenden?
Du hast 20 €. Wer bekommt wie viel?

unicef
Eine Schule für arme Kinder in Kolumbien
Spende: ⸺

GREENPEACE
Die „Rainbow Warrier" gegen den Walfang
Spende: ⸺

ÄRZTE OHNE GRENZEN
Eine Aktion gegen den Hunger in Afrika
Spende: ⸺

c Gruppenarbeit. Sprich mit drei anderen Schülern. Addiert die Spenden. Wie viel wollt ihr spenden? Berichtet in der Klasse.

> Wie viel willst du für ... spenden?

> Ich will 10 € für ... spenden.

> Wollt ihr ... ?

> Wir wollen ...

D1 „Hier ist ein Fahrschein für Sie!"

a) Wie heißen die Sätze? Verbinde die Satzteile.

Kontrolleur   Thomas   Lisa   Frau Huber

● Fahrschein
(= Fahrkarte)   ● Fahrscheinautomat

1 „Fahrscheinkontrolle. Ich muss ...   ?

2 „Tut mir leid. Ich ...   ?

3 „Wo kann ich einen ...   ?

4 „Sie müssen ...   ?

A ... habe keinen Fahrschein."

B ... Fahrschein kaufen?"

C ... 70 Euro zahlen."

D ... Ihren Fahrschein kontrollieren."

b) Wer sagt was? Der Fahrgast oder der Kontrolleur? Ordne die Sätze aus a zu.

1 Kontrolleur: _1_, ⋯⋯   2 Frau Huber: ⋯⋯

c) Hör den Text. Was passt?   🔊 2 21

schwarzfahren
= ohne Fahrschein fahren

1 Der Kontrolleur will Frau Hubers Fahrschein sehen.
   Frau Huber ist ⋯⋯.

2 Lisa hat einen Fahrschein für Frau Huber.
   Frau Huber ist ⋯⋯.

3 Der Kontrolleur will Lisas Fahrschein sehen.
   Lisa ist ⋯⋯.

⊗ lustig ⊗ müde ⊗ hungrig ⊗
⊗ wütend ⊗ glücklich ⊗ nervös ⊗

d) Hör noch einmal. Ordne die Sätze zu.

1 Nein, das ist zu spät. Sie müssen 70 € zahlen.

2 ~~Fahrscheine bitte, Fahrscheinkontrolle.~~

3 ~~Wie bitte? Ich verstehe nicht.~~

4 Ich glaube, er ist weg. ... Kann ich jetzt bei Ihnen einen
   neuen Fahrschein kaufen?

5 Sie haben keinen Fahrschein. Das kostet 70 €.

6 Haben Sie einen Fahrschein? Ich muss Ihren Fahrschein
   kontrollieren.

7 Warten Sie bitte ... Ich habe ganz sicher einen Fahrschein ...
   Da muss er sein ...

8 Sie brauchen einen Fahrschein. Ich muss Ihren Fahrschein sehen.

9 Entschuldigen Sie, ich habe einen Extra-Fahrschein. Hier bitte.

10 Siebzig Euro? So viel?

K Kontrolleur
F Frau Huber
L Lisa

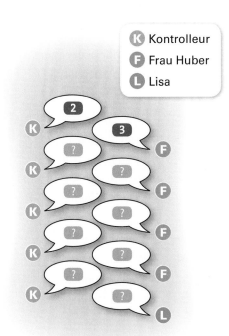

E1 **Haben Sie einen Fahrschein?**

🔊 Haben **Sie** einen Fahrschein?
Sie brauchen einen Fahrschein.

a **Ordne zu.**

Ⓐ Ⓑ Ⓒ Ⓓ

1 „Hast du einen Fahrschein?"	?
2 „Haben Sie einen Fahrschein?"	?
3 „Habt ihr Fahrscheine?"	?
4 „Haben Sie Fahrscheine?"	?

Singular (du/Sie)
Hast **du** ...? **Du** brauchst ...
Haben **Sie** ...? **Sie** brauchen ...

Plural (ihr/Sie)
Habt **ihr** ...? **Ihr** braucht ...
Haben **Sie** ...? **Sie** brauchen ...

b **Was ist richtig, A ? oder B ? ?**

Situation

1 **A** ☒ ☉ Hast du heute Zeit?
B ? ☉ Haben Sie heute Zeit?
◆ Ja, heute geht es.

2 **A** ? ☉ Haben Sie heute Sport?
B ? ☉ Habt ihr heute Sport?
◆ Ja, am Nachmittag.

3 **A** ? ☉ Brauchen Sie Hilfe?
B ? ☉ Braucht ihr Hilfe?
◆ Nein danke,
es geht schon.

4 **A** ? ☉ Wohnen Sie hier?
B ? ☉ Wohnst du hier?
◆ Ja, wir wohnen in
der Frühlingsstraße.

E2 *Dein* **oder** *Ihr***? Was passt?**

🔊 Ich muss **Ihren** Fahrschein kontrollieren.

1 Entschuldige, ich glaube, das ist
A ☒ dein **B** ? Ihr   Buch.

2 Lisa, ist das
A ? dein **B** ? Ihr   Fahrschein?

3 Entschuldigen Sie, sind das
A ? deine **B** ? Ihre   Fahrscheine?

4 Wo wohnen Sie? Wie ist
A ? deine **B** ? Ihre   Adresse?

5 Ist das
A ? deine **B** ? Ihre   Tasche?
Woher kommen Sie denn?

6 Ist das
A ? deine **B** ? Ihre   Gitarre?
Hast du heute Musik?

Possessivartikel
Ihr ● Fahrschein
Ihr ● Buch
Ihre ● Tasche
Ihre ○ Fahrscheine

E3 **Rollen würfeln**

Partnerarbeit. *Du* **oder** *Sie***?**
Würfelt eine Rolle und spielt Dialoge.

☉ Kontrolleur: Haben Sie einen Fahrschein?
◆ Vater: Tut mir leid, mein Fahrschein
ist weg.

☐ Lehrer: Hast du am Montag Zeit?
Spielen wir Tennis?
▶ Freund: Nein, Montag ist schlecht,
aber Dienstag geht.

⚀ Lehrer/-in
⚁ Schüler/-in
⚂ Freund/-in
⚃ Vater/Mutter
⚄ Kontrolleur/-in
⚅ zwei Touristen

Wie heißt / heißen ...?
Woher ...?
Wo ...?
Ist das dein / Ihr /
deine / Ihre ...?
Was ... Lieblings...?
Wann ...?
Wie findest / finden ...?
Magst / Mögen ...?

F1 Ergänze die Sätze und schreib den Rap fertig. Hör dann den Rap und vergleiche.

Doktor Brehms Liebes-Hotline

1 Was ist los? Was ist los? Ich weiß es nicht.
Wo ich gehe oder stehe, immer seh' ich dein Gesicht.
Was ist los? Was ist los? Was ist los? Was ist los?
Oh Gott, ... ich glaube, meine Liebe ist zu groß!

2 Ich lese meine •••• und was sehe ich da:
Eine Liebes-Hotline? Ist ja wunderbar!
„•••• Sie Ihr Telefon und rufen Sie an.
Ich löse Ihr ••••." Ist ja einfach, Mann!

Guten Tag, hier ist Doktor Brehms Liebes-Hotline ...
Äh, guten Tag ... Ich brauche Ihre Hilfe, äh ...

3 Können Sie nicht schlafen? Dann drücken Sie die Zwei.
•••• Sie nicht essen? Dann •••• Sie die ••••.
... Diese Info kostet einen Euro und zehn.
Frau Doktor Brehm sagt „Danke schön!"

4 Ich •••• nicht ••••. Die Zwei ist ••••. ...
Sie können nicht schlafen? Schlaf ist aber wichtig!
... Diese Info kostet einen Euro und zehn.
Frau Doktor Brehm sagt „Danke schön!"

Nein! Ich will ... ich möchte ... äh ...
... Diese Info kostet einen Euro und zehn.
Frau Doktor Brehm sagt „Danke schön!"
Nein! ...
... Diese Info kostet einen Euro und zehn.
Frau Doktor Brehm sagt „Danke schön!"
Stopp! ...
... Diese Info kostet einen Euro und zehn.
Frau Doktor Brehm sagt „Danke schön!"

 2 22

- ✪ Problem
- ✪ Nehmen
- ✪ Können
- ✪ kann
- ✪ Zeitung
- ✪ richtig
- ✪ drücken ✿
- ✪ schlafen
- ✪ Drei

✿ drücken

F2 Europatag

a Lies die Mail und finde die zwei Fehler im Fahnenquiz.

> ✉ Nachricht _ □ ✕
>
> An ... | Peter
> Betreff | Schulfest: Europatag
>
> Lieber Peter,
> Sabine und ich arbeiten gerade für den Europatag morgen in der Schule. Danke für Dein Fahnenquiz. Wir brauchen aber noch einmal Deine Hilfe. Wir haben das Quiz, aber wir haben keine Lösungen. Bitte kontrolliere auch noch einmal die Farben. Ist wirklich alles richtig? Wir brauchen auch noch Spenden für das Buffet, Cola und Orangensaft zum Beispiel ;-)
> Bitte antworte schnell.
> Tanja

Fahnenquiz
Mal die Fahnen aus. Kennst du die EU-Länder?

F I D

1	2	6
①		

4
5
1
②

3	2	1
③		

1 = rot
2 = weiß
3 = grün
4 = schwarz
5 = gelb
6 = blau

Rosi Rot und Wolfi

b Schreib Peters Antwort und korrigiere die zwei Fehler im Fahnenquiz.

Hier ist die Lösung: Land Nummer 1 ist ..., Land Nummer 2 ist ...
Leider sind da auch zwei Fehler: Die Farben für ... sind nicht ...,
sondern ...

Lösung: S. 137

8 A

Der Krimi fängt gleich an!

A1 **Kennst du die Fernsehserien?**

a Ordne zu.

Englischer Originaltitel	Deutscher Titel
? The Flintstones	Reich und schön
? The Bold and the Beautiful	Akte X
? Malcolm in the Middle	Malcolm mittendrin
? The Nanny	Familie Feuerstein
? X-Files	Eine schrecklich nette Familie
? Married with Children	Die Nanny

b Wie heißen die Serien in deiner Muttersprache?

c Welche Fernsehserien kennst du noch? Woher kommen sie?

A2 Lieblingsserien

a Lies und hör den Text. Woher kommen die Fernsehserien? 2 23

Fernsehklone

1 Istanbul. Ali spielt Fußball. Es ist sechs Uhr abends. Ali muss schnell nach Hause:

2 Um sechs Uhr beginnt seine Lieblingsfernsehserie: „Friends."

3 Ali darf zwei Stunden am Tag fernsehen. „Friends" sieht er jeden Tag. Er findet die Serie nicht sehr realistisch,

4 aber er findet, das ist normal für Fernsehserien. „Die Serie ist lustig", meint er.

5 Jugendliche auf der ganzen Welt finden „Friends" toll. Serien aus den USA sind einfach populär: Die

6 Lieblingsserie von Lisa aus Schweden ist „Die Simpsons". Marco aus Spanien sieht gern „Emergency Room"

7 und Françoise aus Frankreich mag „Tool Time".

8 In Deutschland können Jugendliche circa 40 Fernsehserien sehen. Nur zehn Serien kommen nicht aus den USA.

9 Auch die Schauspieler in den Serien kommen aus den USA. Sie sehen alle ähnlich aus, und sie agieren ähnlich.

10 Die Experten haben kritische Fragen, zum Beispiel:

11 Sprechen, handeln und fühlen wir bald alle wie die Personen in den Serien?

12 Sind wir bald traurig wie FBI-Agent Fox Mulder in „Akte X"?

13 Sind wir bald müde wie Homer in „Die Simpsons"?

14 Sind wir bald lustig wie Tim Taylor in „Tool Time"? …

15 Sind wir bald alle Fernsehklone?

TV

Schauspieler in
Fernsehserien
agieren ähnlich.

b Wo und wie steht das im Text?
Finde die Zeile und lies die Sätze vor.

*Zeile 2:
Um sechs Uhr …*

*Zeile 4: „Die Serie
ist lustig", meint er.*

1 Ali mag die Fernsehserie „Friends."

2 Jugendliche aus Europa finden Serien aus den USA gut.

3 Sehr viele Serien in Deutschland kommen aus den USA.

4 Schauspieler in Fernsehserien spielen ähnlich.

5 Experten sehen Probleme.

6 Experten fragen: Sind wir bald wie die Schauspieler in den Fernsehserien?

B1 Fernsehsendungen

a Was ist was? Ordne zu.

A ? Das aktuelle Sportstudio

B ? Sag die Wahrheit

D ? Die Simpsons

1 Dokumentation
2 Nachrichtensendung
3 Sportsendung
4 Zeichentrickfilm
5 Krimi
6 Talkshow
7 Spielshow
8 Fernsehserie

F ? Messners Alpen

G ? In aller Freundschaft

b Hör zu, vergleiche und sprich nach. 🔊 2 24

c Hör zu. Welche Sendungen aus a sehen die Personen? 🔊 2 25

1 Zeichentrickfilm   2 ·····   3 ·····   4 ·····

d Wie ist das in deinem Land? Was sind interessante Fernsehsendungen für Jugendliche?
Lies die Wörter in a noch einmal. Finde Beispiele.

... ist eine
Dokumentation.

... ist eine Sendung
für Jugendliche.

B2   Marias Fernsehwoche

a   **Was sieht Maria? Wann? Hör zu und mach eine Tabelle.**

🔊 ② 26

Tag	Sendung
Mittwoch	Sabrina (Serie)

sehen   (e>ie)
er, es, sie, man **sieht**

C   ?   Tatort

b   **Hör noch einmal. Wie findet Maria die Sendungen? Notiere.**

„Sabrina" ist Marias Lieblingsserie. ...

WILL   E   ?   Anne Will

c   **Partnerarbeit. Was seht ihr gern? Wann? Warum?**

> Am Montag sehe ich gern ...

> Meine Lieblingssendung ist ...

> Ich finde ... lustig / interessant / toll ...

d   **Berichtet in der Klasse.**

> Wir sehen beide gern ...

> Ich sehe gern ..., aber ... sieht gern ...

H   ?   Tagesschau

B3   Lieblingssendungen

a   **Sucht eine Sendung für die Personen.**

Walter Becker

Beruf: Ingenieur

☺ Mathematik, Natur, lachen ✿, Rad fahren

☹ Romantik

Waltraud Gehrer

Beruf: Sekretärin

☺ telefonieren

☹ Polizei

> Walter Becker sieht gern Dokumentationen. Er mag keine Liebesfilme.

✿ lachen

b   **Partnerarbeit. Erfinde eine Person. Deine Partnerin / Dein Partner findet eine Sendung für die Person.**

C1 Offizielle Uhrzeit

a Partnerarbeit. Wann beginnen die Sendungen?
Lest das Fernsehprogramm.

17:45	Die Simpsons
18:15	Nachrichten
18:30	Die Nanny
19:00	Bingo
19:30	Nachrichten
19:55	Das aktuelle Sportstudio
20:00	Die Welt
21:10	Akte X

⊙ Wann beginnt „Akte X"?
◆ Um ...
⊙ Was beginnt um ...?

ℹ 18:15 = achtzehn Uhr fünfzehn
19:55 = neunzehn Uhr fünfundfünfzig

b Hör die Programmansage. Vergleiche mit dem
Programm in **a**. Dort sind drei Fehler. 2 27

... kommt nicht um ...,
sondern um ...

C2 Inoffizielle Uhrzeit

❞ Es ist **sechs Uhr abends**.
Ali muss schnell nach Hause.

a Hör die Zeitangaben und sprich nach. 2 28

Es ist ... **halb zwei**. **Viertel vor** drei.

Viertel nach zwei. **fünf vor** halb zwei. **zehn nach** halb zwei.

ℹ Inoffiziell: Es ist halb acht (Uhr abends/morgens).
Offiziell: Es ist sieben Uhr dreißig
oder neunzehn Uhr dreißig.

b Wie spät ist es? Hör zu und notiere die Uhrzeiten.
Nenn auch die offizielle Uhrzeit.  2 29

1 Es ist zehn vor sechs. = Es ist siebzehn Uhr fünfzig.

2 ••••   3 ••••   4 ••••   5 ••••   6 ••••

C3 Was darfst du sehen?

❞ Ali **darf** zwei Stunden am Tag **fernsehen**.

a Wer ist alt genug? Wer darf was sehen? Schreib Sätze.

Darf ich
„Findet Nemo" sehen?

Dürfen wir
„Kill Bill" sehen?

Silvia   Mark, 13   Tom und Sabine, 17

Spielfilme in Deutschland

Der Soldat James Ryan	FSK 16
E.T.	FSK 6
Findet Nemo	(frei)
Jurassic Park	FSK 12
Die Klavierspielerin	FSK 16
Kill Bill	FSK 18
Harry Potter	FSK 6

FSK* 6 = Du musst 6 Jahre alt sein.
Dann darfst du den Film sehen.

* FSK = freiwillige Selbstkontrolle

Silvia darf „Findet Nemo" sehen,
... darf sie noch nicht sehen.
Mark darf ...

dürfen
ich **darf**
du **darfst**
er, es, sie, man **darf**
wir dürfen
ihr dürft
sie, Sie dürfen

b Sprecht in der Klasse. Was dürft ihr (nicht) sehen?
Wie lange dürft ihr aufbleiben?

Ich darf keine
Horrorfilme
sehen.

... darf ich
nicht sehen.

Ich darf zwei
Stunden am Tag
fernsehen.

D1 Komm doch mit, Peter!

a Wer sagt was? Was meinst du? Ordne zu.

1	Hallo Peter, hier ist es echt toll. ?
2	Peter, komm. Wir gehen Billard spielen. ?
3	Hallo Peter, hier ist es echt langweilig. ?
4	Nein, in zehn Minuten fängt meine Lieblingsserie an. ?

b Hör zu und vergleiche. ❷ 30

c Lies die Sätze. Hör noch einmal beide Situationen und ordne zu.

1 Lara und Klaus kaufen Chips und Cola ein.
2 Peter bleibt zu Hause.
3 Peters Lieblingsserie fängt in zehn Minuten an.
4 ~~Die Disco ist zu.~~
5 Lara und Klaus möchten fernsehen.
6 Peter kann nicht Billard spielen.
7 Lara und Klaus bleiben in Charlies Bar.
8 Klaus findet Charlies Bar toll.
9 Peter ist müde, er hat keine Lust.
10 Klaus telefoniert mit Peter.
11 In Charlies Bar sind vier neue Billardtische.

Situation 1 + 2	Situation 1	Situation 2
4	.....	.....

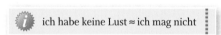 ich habe keine Lust ≈ ich mag nicht

d Partnerarbeit.
Erzählt mit den Sätzen aus **c**.

> Lara und Klaus möchten Billard spielen.

> Peter bleibt …
> Seine Lieblingsserie …

e „Fernsehen" oder … ? Was findest du gut? Was finden wohl deine Eltern gut? Diskutiert in der Klasse.

> Ich finde … super / gut / langweilig / okay.

> Ich mag … (nicht).

> Meine Eltern finden …

> Ich darf (nicht) …

E1 Ich komme nicht mit!

a Hör noch einmal das Ende von Situation 1 in **D1**. Wie heißen die Sätze im Dialog?

1 „In zehn Minuten _fängt_ „Friends" a_n_." (_anfangen_)

2 „Wir r⬤ Peter a⬤." (⬤)

3 „Wir k⬤ Chips e⬤." (⬤)

4 „Wir b⬤ Cola und Chips m⬤." (⬤)

> **Trennbare Verben**
>
> an rufen   Wir rufen Peter an .

b Ergänze die Sätze.

1 ... „Ja, ich _bringe_ meine Schwester _mit_. Ist das okay?"

2 ... „Ja, Peter ⬤ noch Salat und Getränke ⬤"

3 ... „Ja, der Film⬤ um acht ⬤."

4 ... „Nein, er ⬤ nicht wie Brad Pitt ⬤."

5 ... „Ja, wir ⬤ immer am Wochenende ⬤"

6 ... „Nein, ich ⬤ nicht ⬤, ich möchte fernsehen."

> ❂ anfangen ❂ ~~mitbringen~~ ❂ einkaufen ❂
> ❂ fernsehen ❂ mitkommen ❂ aussehen ❂

E2 Infinitivtexte

a „Fernsehparty", „Deutschstunde" und „Sport" sind Infinitivtexte.
Schreib auch einen Infinitivtext, zum Beispiel „Musikstunde" oder „Busfahrt".

Fernsehparty

anrufen	anfangen
einkaufen	fernsehen
mitbringen	...

Fernsehen finde ich langweilig, aber die Party ist super.

Deutschstunde

zuhören	sprechen
lesen	schreiben
zuordnen	Pause machen

Deutsch finde ich ...

Sport

anrufen	Handstand machen
mitkommen	Fußball spielen
anfangen	laufen

Am Freitag ist Sport, am Wochenende bin ich müde.

Musikstunde

zuhören

...

Musik finde ich ...

Busfahrt

warten

...

Kontrolleure finde ich ...

> ❂ Fahrschein zeigen ❂ mitfahren ❂ mitsingen ❂
> ❂ nach Hause kommen ❂ lachen ❂ mittanzen ❂
> ❂ einsteigen ✸ ❂ aussteigen ✸ ❂
> ❂ zusehen ❂ aufmachen ✸ ❂ zumachen ✸ ❂

✸ einsteigen   ✸ aussteigen

✸ aufmachen   ✸ zumachen

b Schreib den Text dann als Alltagsgeschichte.

Fernsehparty

Wir rufen ... an. Dann kaufen wir Chips und Cola ein. ...

F1 Fernsehmarathon

a) Such die Wörter im Wörterbuch.

- Rekord gesund süchtig • Gehirn kurz • Szene

b) Beantworte die Fragen. Sprich auch in deiner Muttersprache.

1 Was bedeutet „Weltrekord" und was bedeutet „fernsehsüchtig"?

2 Was ist wohl der Textinhalt?

c) Lies und hör den Text und vergleiche. 🔊 ② 32

d) Hör den Text noch einmal.
Finde für jeden Textteil einen Titel.

A	?
B	?
C	?
D	?

1 Drei Stunden Fernsehen
2 Fernseh-Weltrekord
3 Bilder ohne Pause
4 Unglücklich ohne Fernsehen

Ist Fernsehen gesund?

A Fünf Personen sehen fern, ohne Pause. Sie möchten im Guiness Buch der Rekorde stehen. Die fünf Personen müssen 51 Stunden lang fernsehen. Das ist Weltrekord.

B Normal ist das nicht. Das ist klar. In Europa sehen die Menschen durchschnittlich drei Stunden pro Tag fern. Doch: Ist das gesund?

C Nein, denn die Psychologen sagen: Viele Menschen werden fernsehsüchtig. Ohne Fernsehen sind sie nervös und aggressiv. Sie müssen viele, viele Stunden fernsehen, nur dann sind sie glücklich.

D Warum ist das so? Wir Menschen mögen schnelle Bilder. Fernsehsendungen zeigen Bilder und Situationen sehr schnell und ohne Pausen. Wir finden das sehr interessant. Doch dann ist die Sendung aus und die schnellen Bilder sind weg. Dann haben wir das Gefühl: Das Leben ist langweilig und das Fernsehen ist interessant. Jetzt brauchen wir jeden Tag das Fernsehen: Wir sind fernsehsüchtig.

F2 Ein Artikel in der Schülerzeitung

a) Lies Carinas Text. Was ist ihre Lieblingssendung?

Was sind deine Fernsehhits?
Carina: „Ich mag Dokumentationen und Spielshows. Meine Lieblingssendung ist „Wer wird Millionär?". Das ist eine Quizsendung. Mein Bruder mag die Sendung nicht. Er findet sie langweilig. Aber ich finde die Quizfragen interessant und meine Antworten sind oft richtig. Ich möchte gern einmal bei „Wer wird Millionär?" mitmachen. Ich sehe auch gern Krimis, aber Zeichentrickfilme mag ich nicht, die sieht mein Bruder gern. Ich sehe oft am Wochenende fern und manchmal auch am Nachmittag."

b) Was siehst du gern im Fernsehen?
Schreib einen Text für die Schülerzeitung.

Ich mag ... / keine ...
Meine Lieblingssendung ist ...
Ich finde ... interessant / toll / langweilig ...
Mein Bruder / Meine Schwester / Mein Vater /
Meine Mutter sieht gern ...

Rosi Rot und Wolfi

Essen in den deutschsprachigen Ländern

LK1 Fakten

a Lies und hör den Text und ordne die Bilder zu. 🔊 ② 33

Hamburger, Pizza und Döner Kebab, aber auch asiatisches Essen kannst du in den deutschsprachigen Ländern überall bekommen. Die Küche in den deutschsprachigen Ländern ist international. Aber natürlich haben die deutschsprachigen Länder auch eigene Spezialitäten. Und einige Speisen haben in Deutschland, Österreich und der Schweiz sogar andere Namen. Hier sind einige Beispiele.

	Deutschland	Österreich	Schweiz
?	Sahne	Schlagobers	Rahm
?	Brötchen	Semmel	Weggli
?	Möhre	Karotte	Karotte
?	Hähnchen	Hendl	Poulet
?	Kartoffel	Erdapfel	Kartoffel
?	Klöße	Knödel	–

b Partnerarbeit. Macht ein Quiz.

Wie heißt  *in Deutschland?*

LK2 Beispiele

a Sieh die Fotos an. Wo isst man was? Was meinst du?

1 (Käse-)Fondue

2 Wiener Schnitzel

3 Eisbein mit Sauerkraut

A	Deutschland:	3	?
B	Österreich:	?	?
C	Schweiz:	?	?

4 Kartoffelklöße

5 Raclette

6 Kaiserschmarrn

b Lies und hör den Text. Vergleiche deine Antworten mit dem Text. 🔊 ② 34-36

Kartoffelklöße oder Pizza?

Die Schweizer mögen Fondue, die Österreicher essen Wiener Schnitzel, und die Deutschen lieben Eisbein mit Sauerkraut. Doch was essen Jugendliche aus Deutschland, Österreich und der Schweiz wirklich? Wir fragen Manuel (Deutschland), Dominique (Schweiz) und Eva (Österreich).

„Am Morgen esse ich nicht so viel. Ich trinke Tee und esse Cornflakes, das ist alles. Am Mittag esse ich immer in der Schule. Meistens esse ich Fleisch, Gemüse und Reis oder Kartoffeln. Manchmal auch Pizza. Salat mag ich nicht so gerne. Manchmal esse ich am Mittag aber auch Fast Food. Typisch deutsches Essen mag ich eigentlich nicht so gern. Oder doch, vielleicht Kartoffelklöße. Ja, Kartoffelklöße finde ich lecker."

Manuel (D)

„Ich esse nichts am Morgen. Ich trinke nur einen Kakao. Nur am Sonntag esse ich ein oder zwei Brötchen und manchmal ein weiches Ei. Am Mittag esse ich immer zu Hause. Das Mittagessen ist sehr wichtig. Wir essen Suppe, Fleisch, Salat und oft eine Nachspeise, einen Kuchen oder ein Eis. Meistens kocht meine Mutter. Am Mittwoch arbeitet meine Mutter, da koche ich oder mein Vater. Kochen ist in meiner Schule ein Schulfach und wir bekommen Noten. In der Schule koche ich nicht so gern, deshalb habe ich auch nur eine Drei im Zeugnis. Aber zu Hause koche ich ganz gern. Am Abend essen wir wenig, vielleicht einen Toast oder Wurst und Käse. Am Wochenende gehen wir manchmal in ein Restaurant. Ich mag auch typische Speisen aus der Schweiz, zum Beispiel Raclette."

Dominique (CH)

 Noten in den deutsch-sprachigen Ländern

Deutschland
1–6
1 = Sehr gut
6 = Ungenügend

Österreich
1–5
1 = Sehr gut
5 = Nicht genügend

Schweiz
6–1
6 = Sehr gut
1 = Unbrauchbar

Die beste Note in Deutschland und Österreich ist eine 1. Die beste Note in der Schweiz ist eine 6.

„Ich bin Vegetarierin. Ich esse kein Fleisch. Ich esse nur Gemüse, Milch und Käse. Typisch österreichisches Essen, also zum Beispiel Wiener Schnitzel oder Schweinebraten, mag ich nicht. Aber ich mag Kaiserschmarrn. Das ist eine typisch österreichische Nachspeise: Man macht einen großen, dicken Pfannkuchen. Dann macht man Stücke, und das isst man mit Kompott. Kaiserschmarrn koche ich oft. Das ist nicht so schwer ✿."

Eva (A)

✿ schwer   leicht

c Was essen und trinken die Jugendlichen? Ergänze die Tabelle.

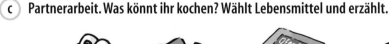

	am Morgen	am Mittag	am Abend	„typische Speisen"
Manuel	Tee, Cornflakes	•••••	•••••	•••••
Dominique	•••••	•••••	•••••	•••••
Eva	•••••	•••••	•••••	•••••

LK3 Und jetzt du!

a Was isst du am Morgen, am Mittag und am Abend? Vergleiche mit den Jugendlichen im Text. Was ist anders? Erzähle in der Klasse.

b Welche Speisen und Getränke sind typisch für dein Heimatland?

c Partnerarbeit. Was könnt ihr kochen? Wählt Lebensmittel und erzählt.

Ich koche manchmal Spaghetti. Das ist leicht. Man braucht …

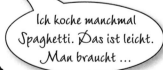

Projekt

Eine Umfrage in der Klasse

P1 **Macht eine Umfrage.**

a Gruppenarbeit. Wählt ein Thema.

Essen und Trinken

Fernsehen

Musik

Sport

Interessen (Hobbys und Schulfächer)

b Sammelt Fragen für die Umfrage. Macht dann einen Fragebogen mit fünf Fragen wie im Beispiel.

Musik

Wie oft hörst du Musik?   [?] 0–1 Stunde pro Tag   [?] 1–3 Stunden pro Tag   [?] 3–? Stunden pro Tag

Was hörst du gerne?   [?] Jazz   [?] Rock   [?] Pop   [?] Klassik   [?] Hip-Hop   [?] ....

Fernsehen

Wie oft in der Woche siehst du fern?   [?] nie   [?] 1–3 x   [?] 4–6 x   [?] jeden Tag

Wie lange darfst du jeden Tag fernsehen?   [?] 0–1 Stunde   [?] 1–3 Stunden   [?] 3–? Stunden

- ✪ Was
- ✪ Wer
- ✪ Wann
- ✪ Wie lange
- ✪ Wie oft
- ✪ Warum
- ✪ Wie viel
- ✪ Woher
- ✪ Wie

Sport

Wie oft machst du Sport?   [?] jeden Tag   [?] 3–5 x pro Woche   [?] nur in der Schule

Siehst du Sport im Fernsehen?   [?] ja   [?] nein

Essen und Trinken

Wie oft isst du Gemüse?   [?] nie   [?] 1–3 x pro Woche   [?] 4–6 x pro Woche   [?] jeden Tag

Wie findest du Fast Food?   [?] ☺   [?] ☹   [?] ☺

Interessen

Was machst du gerne in der Freizeit?   [?] lesen   [?] Musik hören   [?] Sport   [?] tanzen   [?] ....

Was ist dein Lieblingsfach?   ....

Essen und Trinken

1	Isst du viel zum Frühstück?	☐ ja ☐ nein	
2	Isst du oft Fast Food?	☐ nie ☐ 1 x pro Woche ☐	
3	Wie viele Speisen kannst du kochen?	☐ 0–5 ☐ 6–10 ☐ 11–15 ☐ 16–?	
4	Isst du oft im Restaurant?	☐ nie ☐ 1x pro Woche ☐	
5	Was ist deine Lieblingsspeise?	....	

c Jeder in der Gruppe hat den Fragebogen und fragt Schüler und Schülerinnen aus einer anderen Gruppe. Notiert die Antworten.

Frage	1	2	3	4	5
Tomasz	nein	4 x pro Woche	0–5	nie	Spaghetti
Jana	ja	nie	25	nie	....
Suzanna	nein	1 x im Monat	0–5	3 x pro Woche	....

P2 Schreibt einen Bericht und macht ein Poster.

a Arbeite jetzt wieder in deiner Gruppe. Berichte über die Antworten.
Für einige Antworten könnt ihr auch Grafiken anfertigen.

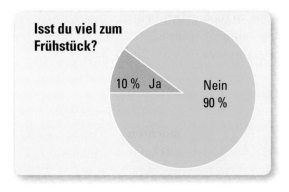

b Schreibt kurze Texte zu den Fragen aus **P1b**.

Julio, Antonio und Jose essen viel zum Frühstück. Julio isst jeden Tag ein Ei, Toast und Wurst. Aber viele Schüler und Schülerinnen essen nicht viel zum Frühstück. Viele essen nur Cornflakes und Milch, und sie trinken einen Tee oder Kakao. Vier Schüler essen nichts zum Frühstück. Sie sagen, sie haben am Morgen keine Zeit für ein Frühstück.

c Macht in der Gruppe ein Poster mit den Texten und Grafiken. Sammelt auch Bilder aus Zeitschriften oder aus dem Internet und illustriert das Poster.

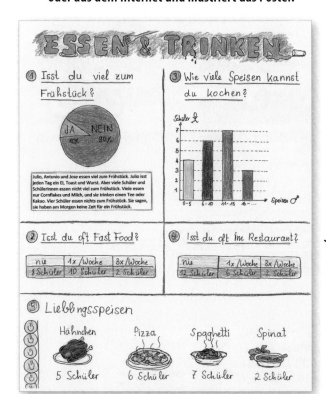

P3 Präsentiert die Resultate.

Zeigt das Poster in der Klasse und präsentiert die Resultate.

Das Thema präsentieren

> Das Thema ist …
> Die Fragen für die Umfrage heißen: …

Resultate präsentieren

> Die Grafik zeigt die Antworten auf Frage X: …
> Wir sehen hier: X Schüler und Schülerinnen …
> Hier sind die Antworten auf die Frage X: …
> Das sind die Resultate: …
> Julio sagt, er …
> Das Bild zeigt …
> Im Text steht, …

Was wir interessant finden

> X Schüler und Schülerinnen …
> Das finden wir interessant.

Grammatik

Finde die Satzzitate 💬 in den Lektionen 5–8.

G1 Verb

a) Konjugation (besondere Verben: Verben mit Vokalwechsel, *möchten*)

	essen
ich	esse
du	isst
er, es, sie, man	isst
wir	essen
...	

du, er, es, sie, man: e → i (ie)

In Texas isst man Klapperschlangen.

Ebenso:
sprechen, werden, geben, helfen, nehmen (n**imm**st – n**imm**t), sehen (s**ie**hst – s**ie**ht), lesen (l**ie**st – l**ie**st)

→ S.54, 77

	fahren
ich	fahre
du	fährst
er, es, sie, man	fährt
wir	fahren
...	

du, er, es, sie, man: a → ä

Ebenso:
raten, anfangen, schlafen

In zehn Minuten fängt meine Lieblingsserie an.

→ S.64, 79

	möchten
ich	möchte
du	möchtest
er, es, sie, man	möchte
wir	möchten
...	

ich, er, es, sie, man: -e

Was möchtest du?

→ S.55

b) Konjugation Modalverben

	müssen	können	wollen	dürfen
ich	muss	kann	will	darf
du	musst	kannst	willst	darfst
er, es, sie, man	muss	kann	will	darf
wir	müssen	können	wollen	dürfen
ihr	müsst	könnt	wollt	dürft
sie, Sie	müssen	können	wollen	dürfen

ich, er, es, sie man: – (keine Endung)
ich, du, er, es, sie, man: Vokalwechsel

→ S.62, 70, 78

 Er **muss** Fahrrad fahren.    Er **kann** Fahrrad fahren.    Er **will** Fahrrad fahren.    Er **darf** Fahrrad fahren.

c) Höflichkeitsform

Was möchtest du? 👧

Was möchtet ihr? 👦👧

Was **möchten Sie**? 🧑

Was **möchten Sie**? 🧑👩

Haben Sie einen Fahrschein?

→ S.72

d) Imperativ

~~Du~~ schreib~~st~~ einen Text.   Schreib einen Text.

~~Ihr~~ schreibt einen Text.   Schreibt einen Text.

Sie schreiben einen Text.   Schreiben Sie einen Text.

Nimm doch den Physikkurs!

→ S.64

e Trennbare Verben

an fangen	aus steigen	ein steigen	fern sehen	mit kommen	zu hören
...	...	ein kaufen	...	mit fahren	zu ordnen
		...		...	...

	Position 2			Ende		
Kommst	du			**mit** ?		Ja/Nein-Frage
Ich	**komme**		nicht	**mit** .		Aussage
Komm	doch			**mit** !		Imperativ
Warum	**kommst**	du	nicht	**mit** ?		W-Frage
Ich	**darf**		nicht	**mit**	**kommen** .	Aussage mit Modalverb → S.80

G2 Artikel, Nomen und Pronomen, Präpositionen

a Akkusativ

> Akkusativ
> → bei maskulin Singular ● -en

| ein → ein**en** |
| der → **den** |
| kein → kein**en** |
| mein → mein**en** |

Akkusativ

Ich möchte ein**en** ● Toast .

Ich nehme **den** ● Toast .

Ich kaufe kein**en** ● Toast .

Ich esse mein**en** ● Toast . → S.56

*Möchtest du vielleicht ein**en** Tee?*

b Possessivartikel Höflichkeitsform Nominativ

maskulin	**I**hr Bleistift
neutral	**I**hr Buch
feminin	**I**hre Lampe
Plural	**I**hre Bleistifte, Bücher, Lampen ...

Sie → Ihr

⊙ Ist das Ihr Bleistift?

→ S.70

c Präpositionen mit Akkusativ

Eine Spende **für** eine Schule in Kolumbien.

Eine Aktion **gegen** den Walfang .

Eine Spende **für** Ärzte **ohne** Grenzen .

| **für** → |
| **gegen** →← | + Akkusativ |
| **ohne** ● |

*Ich brauche Geld **für meinen** Papagei, **für meinen** Hund, **für mein** Kaninchen und **für meine** Katze.*

→ S.72

d Allgemeine Pronomen

man = ein Mensch, Menschen

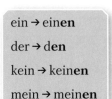

*In Japan isst **man** Seegurken.*

→ S.54

G3 Satz

Konnektoren

Warum ist Naturschutz ein wichtiges Schulfach in Nepal?

Die Natur in Nepal ist in Gefahr. ← **Deshalb** ist Naturschutz ein wichtiges Schulfach.

→ S.62

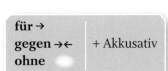

*Mein Internet geht nicht. **Deshalb** kann ich die Webseite nicht lesen.*

Glauben und wissen

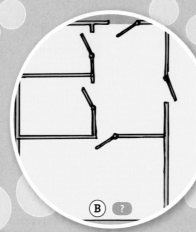

Das sind die Themen in Modul 3:

Ordne die Themen zu.

1 Weltstädte

2 *Entschuldigen Sie, wo ist die Waldgasse?*

3 Meine Heimatstadt

4 Akupunktur: Hilfe gegen Kopfschmerzen

5 Glücksbringer

6 Ist 13 eine Unglückszahl?

Du lernst ...

Sprechen

- über Weltstädte und Verkehrsmittel sprechen
- Gebäude räumlich situieren
- nach dem Weg fragen, den Weg beschreiben
- Schmerzen lokalisieren
- Termine vereinbaren
- Tagesabläufe beschreiben
- berichten, was jemand gehört und gesehen hat
- die eigene Wohnung oder das eigene Haus beschreiben
- über Computerspiele sprechen
- über Tätigkeiten im Haushalt sprechen

Schreiben

- die Heimatstadt beschreiben
- Aktivitäten am vergangenen Wochenende beschreiben
- in einer E-Mail erklären, wo man gestern war
- eine Wohnung beschreiben

Hallo,
hier spricht ...

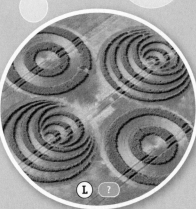

Ich wohne in Graz. Graz hat 250.000
Einwohner und liegt in Österreich. Di

7 Woher kommen die Kornkreise?

8 Julias Handy

9 Die Menschen vom Mars

10 Seltsame Gesichter in einem Haus in Andalusien

11 Ein Anruf auf dem Anrufbeantworter

12 Beas Ferienwohnung

Lesetexte

- Reiseprospekt: Millionenstädte
- Warum hilft Akupunktur?
- Glückstage – Unglückstage
- Woher kommen Kornkreise?
- Ein Geisterhaus in Spanien
- Spielbeschreibungen: Computerspiele

Hörtexte

- Ein Spiel: „Drei gewinnt."
- Eine Reise nach New York, eine Stadtführung in Berlin
- Akupressurpunkte können helfen
- Interviews über eine UFO-Landung
- Ein Lied: „Marsmenschen"
- Jugendliche und ihr Leben (Wo ist das Museum?, Das war Glück!, Ausreden, Mamas Anruf)

Wo ist das nur?

A1 Weltstädte

a Hör die Städte- und Ländernamen. Ergänze die Liste. 3 1

A	Türkei
B	Japan
C	China
D	USA

Mumbai/Bombay	Indien
Moskau	Russland
Seoul	Südkorea
Istanbul	?

Shanghai	?
Lagos	Nigeria
Jakarta	Indonesien
Tokio	?

New York	?
Kairo	Ägypten
Rio de Janeiro	Brasilien

7 Milliarden Menschen leben auf der Erde. 3,7 Milliarden Menschen leben in großen Städten. Hier sind 11 wichtige Millionenstädte in Europa, Asien, Amerika und Afrika.

Karte mit Städten:

7 • 10,4 Mio.
1 • 8,1 Mio.
6 • 9,7 Mio.
8 10,3 Mio.
9,3 Mio.
• 8,3 Mio.
4 • 7,7 Mio.
10
9
5 • 12,7 Mio.
3 • 8,8 Mio.
11 • 8,5 Mio.
2 • 7,2 Mio.

i 10,4 Mio.
Sprich: zehn Komma vier Millionen oder zehn Millionen vierhunderttausend

b Hör zu und ergänze die Dialoge. 3 2

1 ☉ Wo liegt ▭▭▭?
♦ ▭▭▭ liegt in ▭▭▭. Ich glaube, die Stadt Nummer ▭▭▭ ist ▭▭▭.
☉ Ja, das glaube ich auch. Wie viele Einwohner hat ▭▭▭?
♦ ▭▭▭ hat ▭▭▭ Millionen Einwohner.

2 ☉ Wo liegt ▭▭▭?
♦ ▭▭▭ liegt in ▭▭▭. Ich glaube, die Stadt Nummer ▭▭▭ ist ▭▭▭.
☉ Nein, das ist doch ▭▭▭. Ich glaube, ▭▭▭ ist die Stadt Nummer ▭▭▭.

c Partnerarbeit. Findet die Städte auf der Karte und macht eine Liste.

Stadt	Nummer
Mumbai/ Bombay	5

Wo liegt ...?

... liegt in ...

Wie viele Einwohner hat ...?

... hat ... Mio. Einwohner.

A2 Wo ist das wohl?

a Was meinst du? In welcher Weltstadt aus **A1** findest du die Sehenswürdigkeiten? Ordne zu.

? Baden am Strand von Ipanema

? Bootsfahrt auf dem Nil

? Musicaltheater am Broadway

? Kaiserpalast und Garten

b Lies und hör die Texte. Notiere die Sehenswürdigkeiten. Welche Weltstädte sind das?   🔊 3 3

Stadt 1 (Tokio): Rathaus, Kaiserpalast, ...

Vier Tage – vier Weltstädte

① Ein Tag in ...

Vormittag: Am Vormittag beginnen Sie Ihre Tour auf dem Rathaus im Shinjuku-Viertel (243 Meter hoch). Von dort sehen Sie die ganze Stadt. Besuchen Sie dann auch den Meiji-Schrein. Fahren Sie mit der U-Bahn zum Kaiserpalast im Stadtzentrum und gehen Sie im Garten spazieren.

Nachmittag und Abend: Kaufen Sie am Nachmittag im Mitsukoshi Shoppingcenter ein oder besuchen Sie den Ueno-Zoo. Fahren Sie dort mit der Monorail. Besuchen Sie dann ein Sumoringer-Turnier, und essen Sie am Abend Sushi in einem japanischen Restaurant.

② Ein Tag in ...

Vormittag: Nehmen Sie am Vormittag ein Taxi und fahren Sie nach Manhattan. Beginnen Sie Ihre Tour auf dem Empire State Building (381 m). Machen Sie dann einen Spaziergang in Greenwich Village.

Nachmittag und Abend: Fahren Sie am Nachmittag mit dem Schiff zur Freiheitsstatue auf Liberty Island. Besuchen Sie das Guggenheim Museum oder gehen Sie im Central Park spazieren. Besuchen Sie am Abend ein Musicaltheater am Broadway.

③ Ein Tag in ...

Vormittag: Beginnen Sie Ihre Tour am Vormittag auf dem Fernsehturm (187 m). Besuchen Sie dann das Ägyptische Museum mit Tut-Anch-Amuns Mumie und die Al Hakim-Moschee.

Nachmittag und Abend: Fahren Sie am Nachmittag mit dem Bus nach Gizeh. Dort sehen Sie die Sphinx und die Pyramiden. Am Abend essen Sie ägyptische Spezialitäten im Schiffsrestaurant „Kleopatra" direkt auf dem Nil.

④ Ein Tag in ...

Vormittag: Beginnen Sie Ihre Tour am Vormittag beim Teatro Municipal (= Stadttheater) im Stadtzentrum. Fahren Sie dann mit der Zahnradbahn zur Christusstatue auf dem 710 Meter hohen Corcovado. Von dort sehen Sie den Pão de Açúcar (= Zuckerhut) und die Stadt.

Nachmittag und Abend: Am Nachmittag können Sie am Strand von Ipanema baden. Gehen Sie auch auf der Copacabana spazieren. Sehen Sie am Abend ein Fußballspiel im Maracanã Stadion.

ℹ️ Vormittag: ca. 8 – 12 Uhr
Nachmittag: ca. 14 – 18 Uhr
Abend: ca. 18 – 22 Uhr

c Aktivitäten. Lies die Texte noch einmal und ergänze die Tabelle.

Welche Stadt?	Die Stadt von oben	Spaziergänge	Aktivitäten am Abend	Sehenswürdigkeiten
Stadt 1: ····	····	Kaiserpalast und Garten	····	····
Stadt 2: ····	····	····	Musicaltheater	····
Stadt 3: ····	····	····	····	das Ägyptische Museum, Tut-Anch-Amuns Mumie, ...
Stadt 4: ····	Corcovado (710 m)	····	····	Christusstatue

d Partnerarbeit. Ein Ratespiel: Wo bin ich? Macht Dialoge.

☉ Heute Vormittag / Nachmittag / Abend / sehe / besuche / esse ich ...   ◆ Bist du in ...?

☉ Ja genau.   ◆ Wie findest du die Stadt?

☉ Wunderbar! / Toll! / Interessant. / Ganz okay. / Nicht schlecht. / Nicht besonders. / Langweilig. / Schrecklich!

B1 Verkehrsmittel

> Fahren Sie **mit der** U-Bahn zum Kaiserpalast.

a) Ergänze die Tabelle.

1 mit *dem Bus* fahren
2 mit *der Monorail* fahren
3 mit ⸱⸱⸱⸱ *U-Bahn* fahren
4 mit ⸱⸱⸱⸱ *F* ⸱⸱⸱⸱ fahren
5 mit ⸱⸱⸱⸱ *Sch* ⸱⸱⸱⸱ fahren
6 mit ⸱⸱⸱⸱ *T* ⸱⸱⸱⸱ fahren
7 mit ⸱⸱⸱⸱ *Z* ⸱⸱⸱⸱ fahren
8 mit ⸱⸱⸱⸱ *Za* ⸱⸱⸱⸱ ⸱⸱⸱⸱
9 mit ⸱⸱⸱⸱ *F* ⸱⸱⸱⸱ fliegen
10 ⸱⸱⸱⸱ gehen

- Schiff
- Bus
- U-Bahn
- Fahrrad
- Zahnradbahn ⚙
- Monorail
- zu Fuß 👣
- Flugzeug
- Zug
- Taxi

Zahnradbahn   zu Fuß gehen

mit + Dativ

der • Zug mit d**em** Zug **-em**	die • U-Bahn mit d**er** U-Bahn **-er**
das • Schiff mit d**em** Schiff **-em**	die ○ Fahrräder mit d**en** Fahrräder**n** **-en** **+ -n**

b) Welche Verkehrsmittel benutzen die Touristen in A2? Such die Informationen im Text.

Stadt 1: *U-Bahn*, ⸱⸱⸱⸱
Stadt 2: ⸱⸱⸱⸱
Stadt 3: ⸱⸱⸱⸱
Stadt 4: ⸱⸱⸱⸱

In ... fahren die Touristen mit ...

c) Hör zu. Welche Stadt aus A2 🔊 3 4 besuchen Lena und Norbert? Welche Verkehrsmittel nehmen sie?

Lena und Norbert fliegen mit dem Flugzeug.
Sie fahren mit ...

fahren ich fahre – du f**ä**hrst – er f**ä**hrt

B2 Stadtpanorama. Die Stadt von oben.

a) Wo sind die Fotografen in Bild A und B?

Bild **A**: auf einem Hochhaus in ⸱⸱⸱⸱
(2 Millionen Einwohner)

Bild **B**: auf einem Hochhaus in ⸱⸱⸱⸱
(3,4 Millionen Einwohner)

Berlin ●
München ●

Rathaus
Frauenkirche
Hofgarten
Ludwig-Maximilians-Universität
Leopoldstraße
Ⓐ

Tiergarten
Berliner Dom   Museumsinsel   Fernsehturm
Gedächtniskirche
Oberbaumbrücke
Ⓑ ⸱⸱⸱⸱⸱⸱
Spree

über
neben   hinter
Wo?   **+ Dativ**
auf
zwischen
vor

Das Auto ist **neben der** ● Brücke. Die Brücke ist **zwischen dem** ● Fisch und **dem** ● Schiff.

b) Partnerarbeit. Macht Sätze. Ordnet zu.

München

1	Die Frauenkirche ist	?
2	Die Leopoldstraße ist	a
3	Die Universität ist	?
4	Der Hofgarten ist	?
5	Das Rathaus ist	?

a	vor dem Rathaus.
b	zwischen dem Hofgarten und der Frauenkirche.
c	links neben der Leopoldstraße.
d	rechts neben der Leopoldstraße.
e	hinter der Universität.

Berlin

6	Die Brücke über der Spree	?
7	Der Berliner Dom ist	?
8	Der Tiergarten ist	i
9	Die Gedächtniskirche ist	?
10	Die Museumsinsel ist	?

f	links neben dem Fernsehturm.
g	hinter dem Berliner Dom.
h	ist die Oberbaumbrücke.
i	zwischen der Gedächtniskirche und dem Dom.
j	links neben dem Tiergarten.

i　links　rechts

B3　Willkommen in Berlin!

a) Hör zu. Wann sind die Touristen wo? Ergänze *beim/bei der* und notiere die Uhrzeiten.　🔊 3　5

1　_beim_ Hotel　　　　　_9:00 Uhr_
2　_bei der_ Gedächtniskirche　　_....._
3　_....._ Fernsehturm　　_....._
4　_am_ Alexanderplatz　　_....._
5　_....._ Checkpoint Charlie　　_....._
6　_....._ Museumsinsel _....._ Spree　_....._
7　_....._ Berliner Dom　　_....._
8　_....._ Bahnhof Zoo　　_....._
9　_....._ Tiergarten　　_....._
10　_....._ Theater　　_....._
11　_....._ Hotel　　_....._

Checkpoint Charlie

Museumsinsel

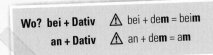

bei/an ≈ in der Nähe

beim Hotel　　am Fluss

Wo?　bei + Dativ　⚠ bei + de**m** = bei**m**
　　　an + Dativ　⚠ an + de**m** = a**m**

Gedächtniskirche

b) Partnerarbeit. Wo ist mein Hotel? Du wohnst in München oder Berlin in einem Hotel.
Wähle einen Ort für dein Hotel. Deine Partnerin/dein Partner rät.

Ist dein Hotel
beim ...?

Ist das Hotel
bei der ...?

Ist es an
der ...?

C1 Plätze in der Stadt

99 Gehen Sie im Central **Park** spazieren.

a Ordne zu.
Hör zu, sprich nach und vergleiche. 🔊 **3** 6

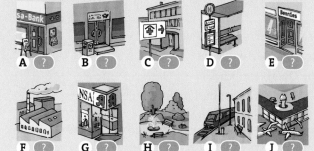

A ? B ? C ? D ? E ?

F ? G ? H ? I ? J ?

1 • Park 2 • Bank 3 • Geschäft
4 • Apotheke 5 • Postamt 6 • Bahnhof
7 • Flughafen 8 • Haltestelle
9 • Krankenhaus 10 • Fabrik

b Die Wörter kennst du schon. Wie heißen die Wörter
in deiner Muttersprache?

• Restaurant • Diskothek • Hotel
• Café • Sportplatz • Supermarkt

c Partnerarbeit. Wie weit ist … von zu Hause entfernt?
Schreib sechs Wörter aus a und b in die Kreise und
frag deine Partnerin / deinen Partner.

mein Haus
500 m 1 km 2 km 5 km
Sportplatz

⊙ Wo wohnst du?
◆ In der Gartenstraße Nummer 12.
⊙ Wie weit ist der nächste Sportplatz entfernt?
◆ Ziemlich weit, / ◆ Ganz nah,
   circa 4 Kilometer. circa 200 Meter.

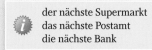

ⓘ der nächste Supermarkt
   das nächste Postamt
   die nächste Bank
🛒 500m

99 Kaufen Sie **im** Mitsukoshi Shoppingcenter ein.

d Wo kannst du das machen?
Ergänze *im* oder *in der* und ordne zu.

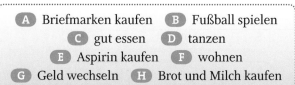

Ⓐ Briefmarken kaufen Ⓑ Fußball spielen
Ⓒ gut essen Ⓓ tanzen
Ⓔ Aspirin kaufen Ⓕ wohnen
Ⓖ Geld wechseln Ⓗ Brot und Milch kaufen

1 Ⓑ : im Park 5 ? : ⸺ Supermarkt
2 ? : ⸺ ⸺ Bank 6 ? : ⸺ ⸺ Diskothek
3 ? : ⸺ ⸺ Apotheke 7 ? : ⸺ Hotel
4 ? : ⸺ Postamt 8 ? : ⸺ Restaurant

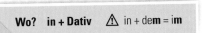

Wo? in + Dativ ⚠ in + de**m** = i**m**

Wo kann man …? *Im …* *In der …*

C2 Stadträtsel. Was ist wo?

a Lies den Text und finde die Orte auf dem Plan.

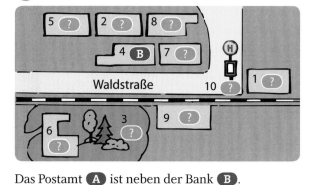

5 ? 2 ? 8 ?
4 Ⓑ 7 ?
Waldstraße 10 ? 1 ?
6 ? 3 ? 9 ?

Das Postamt Ⓐ ist neben der Bank Ⓑ.
Die Bank ist in der Waldstraße.
Hinter dem Postamt ist das Café „Stern" Ⓒ.
Vor der Apotheke Ⓓ ist die Haltestelle Ⓔ.
Hinter dem Bahnhof Ⓕ ist der Park Ⓖ.
Im Park ist das Krankenhaus Ⓗ.
Zwischen dem Café „Stern" und dem
Uhrengeschäft Ⓘ ist das Restaurant „König" Ⓙ.

b Was ist wo? Beschreibe
deinen Wohnort.

In … gibt es eine Schule. Die Schule ist neben …

ⓘ es gibt = da ist

D1 Entschuldigen Sie, wo ist ...?

a Hör und lies den Dialog. Wo ist die Bank? 3 7

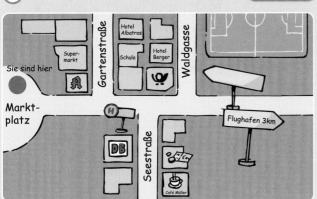

☉ Entschuldigen Sie, wo ist hier eine Bank?

◆ Gehen Sie geradeaus, und dann nach rechts.
Die Bank ist links, neben dem Café „Müller".

☉ Vielen Dank.

◆ Gern geschehen.

geradeaus
nach links ← ↑ → nach rechts

b Partnerarbeit. Macht Dialoge wie in **a**.

- Hotel
- Sportplatz
- Supermarkt
- Apotheke

Entschuldigen Sie ...

D2 Das stimmt sicher nicht.  3 8

a Hör zu. Welche Plätze aus **D1** nennen die Personen?
Vergleiche mit dem Plan.

Eisenbahnmuseum
Waldgasse 24,
Mo, Mi, Fr, Sa, So 10–17 Uhr
Di und Do geschlossen ✿
Tel. 812203

✿ geschlossen

b Finde die Antworten.

1 Was suchen die Touristen?
2 Kennen Tobias und Sandra das Eisenbahnmuseum?
3 Kennen Tobias und Sandra die Waldgasse?
4 Wie heißt das Hotel in der Waldgasse?

c Lies zuerst die Fragen und die Antworten.
Hör noch einmal. Welche Antworten hörst du?

Fragen

1 Touristen: Entschuldigung, wir suchen das
Eisenbahnmuseum. Wie kommen
wir zum Eisenbahnmuseum? [?]

2 Sandra: Wo ist eigentlich die Waldgasse?
Die kenne ich überhaupt nicht. [?]

3 Sandra: Ist dort nicht auch das Hotel „Albatros",
direkt neben dem Sportplatz? [a]

Antworten

[a] Tobias: Ja, das kann sein.

[b] Sandra: Hier gibt es kein Museum.

[c] Sandra: In der Seestraße ist der
Bahnhof. ... Vielleicht ist dort das
Eisenbahnmuseum.

[d] Tourist: Das Hotel ist in der Waldgasse.

[e] Tobias: Du gehst hier geradeaus und bei der
Apotheke nach links.

d „Das stimmt sicher nicht!" Die Informationen in **c**
sind leider falsch. Was sind die richtigen Antworten
auf die Fragen 1, 2 und 3? Ordne zu.

Frage 1: [?]   Frage 2: [?]   Frage 3: [?]

Antworten

[a] Tourist: Nein, nein, das Hotel „Albatros" ist
sicher nicht in der Waldgasse. Das ist
in der Gartenstraße.

[b] Tourist: Nein, nein, links stimmt sicher nicht.
Links ist die Gartenstraße.

Tobias: Ja richtig, stimmt. Da ist die Gartenstraße. Dann beim Postamt links. Ja, da
bin ich jetzt ganz sicher. Gehen Sie
geradeaus und dann beim Postamt nach
links, dann sind Sie in der Waldgasse.

[c] Tourist: Nein, nein, das Museum ist in der
Waldgasse. In der Waldgasse Nummer ...
Ach, die Adresse vergesse ich immer.

E1 Entschuldigung, wie kommen wir ...?

a Partnerarbeit. Ordnet zu und macht Dialoge.

☉ Entschuldigung, wie kommen wir zum Schwimmbad?

◆ Zum ...? Tut mir leid, es gibt hier kein ...

> **Wohin? zu + Dativ** ⚠ zu + de**m** = zu**m**
> ⚠ zu + de**r** = zu**r**

(A) ? (B) ? (C) ?
(D) ? (E) ? (F) ?

> **1** ● Schwimmbad   **2** ● Stadtbibliothek
> **3** ● Uhrengeschäft   **4** ● Apotheke
> **5** ● Postamt   **6** ● Bank

b *Zum/zur* oder *nach*? Ergänze.

🔊 bei der Apotheke **nach** links

> **nach + Namen ohne Artikel**
> nach Hamburg, nach Italien
> **nach + Adverbien**
> nach rechts, nach Hause

1 „Wie kommen wir *nach* Hamburg?"
2 „Wir möchten ⬭ Hotel „Rose"."
3 „Müssen wir hier ⬭ links oder ⬭ rechts?"
4 „Ist das der Zug ⬭ Flughafen?"
5 „Fährt der Bus ⬭ Wien oder ⬭ München?"
6 „Wohin fährst du?" – „⬭ Hause."

c Partnerarbeit. Beschreibt den Weg.
Partner A hat den Plan auf Seite 95, Partner B hat den Plan auf Seite 137.

Partner A sucht: das Blumengeschäft „Rose", die Fabrik „Schmidt und Söhne", das Krankenhaus, die Diskothek „DJ Bob"

Partner B sucht: den Flughafen, die Schule, das Café „Müller", das Hotel „Albatros"

☉ Entschuldigung, wie komme ich zum/zur ...?

◆ Geh geradeaus ... Beim/Bei der ... nach links. ... ist neben/vor/hinter ...

E2 Woher ...? Wohin ...? – Ist es weit?

🔊 Wir kommen **vom** Hotel „Albatros".

> **Woher? von + Dativ** ⚠ von + de**m** = vo**m**

a Rechne und schreib Sätze.

Der Bahnhof ist *800 Meter vom* Krankenhaus entfernt. *Vom* Bahnhof *zum* Krankenhaus braucht man zu Fuß *9 Minuten.*

> **Krankenhaus 800 m** ➕

Das Café „Müller" ist ⬭ von der Apotheke entfernt.
⬭ Café „Müller" ⬭ Apotheke braucht man zu Fuß ⬭
...

> Café „Müller" – Apotheke = 400 m
> Schule – Sportplatz = 1,6 km
> Diskothek „DJ Bob" – Hotel „Albatros" = 2,4 km
> Marktplatz – Flughafen = 3,2 km
> Krankenhaus – Café „Müller" = 1,2 km
> Bahnhof – Fabrik „Schmidt und Söhne" = 2 km

b Rechne noch einmal.
Mit dem Fahrrad bist du dreimal so schnell.

Vom Bahnhof *zum* Krankenhaus braucht man mit dem Fahrrad *ca. drei Minuten.*

c Wie kommst du zur Schule? Wie lange brauchst du?
Beschreibe deinen Schulweg.

☉ Ich fahre mit ... zur Schule.

◆ Ich gehe ... zur Schule. Die Schule ist ... von zu Hause entfernt. Ich brauche ...

☐ Ich gehe zur Haltestelle, dann nehme ich ... und fahre zum/zur ...

▶ Ich gehe zuerst nach links/rechts. Dann bin ich in der ...straße. Beim/Bei der ... gehe ich ...

F1 Spiel: „Drei gewinnt." 3 9

a) Peter (x) und Maria (o) spielen „Drei gewinnt." mit Zahlen. Hör zu und markiere o oder x. Wer gewinnt?

```
1 O   2   3
4     5   6
  X     O
7     8   9
```

b) Paul und Julie spielen „Drei gewinnt." mit Präpositionen. Hör zu. Welchen Fehler macht Julie?

1 im	2 auf dem	3 zur
4 mit dem	5 vor dem	6 vom
7 neben der	8 beim	9 in der

c) Wie funktioniert das Spiel? Sprich auch in deiner Sprache.
Spielregeln → S. 137

d) Partnerarbeit. Spielt „Drei gewinnt." mit Präpositionen. Nehmt auch andere Präpositionen oder Artikel, z.B. *mit der*, *hinter dem* usw.

F2 Meine Heimatstadt

a) Lies Andreas Text über Graz. Ordne Themen und Textteile zu.

1 Andreas Meinung über Graz ?
2 Sehenswürdigkeiten ?
3 Geschäfte und Restaurants ?

A Ich wohne in Graz. Graz hat 250.000 Einwohner und liegt in Österreich. Die Altstadt von Graz ist wunderschön. In der Altstadt steht auch das Wahrzeichen von Graz, der Uhrturm. Graz hat ein Theater und ein Opernhaus. Natürlich gibt es auch Parks, Kinos, Schwimmbäder und viele Sportplätze.

B In Graz gibt es vier Einkaufszentren. Im Stadtzentrum findet man viele kleine Geschäfte, Restaurants und Kaffeehäuser. Mein Lieblingsrestaurant ist die Pizzeria „Francesco". Die Pizza dort ist fantastisch.

C Ich finde Graz ganz schön, aber später möchte ich in Wien leben, wie meine Schwester. Sie meint: „Graz ist ganz okay, aber Wien ist eben eine Millionenstadt. Das Leben in Wien ist nie langweilig."

Das Wahrzeichen von Graz: Der Uhrturm

b) Schreib einen Text über deine Stadt.

Ich komme aus ... Ich wohne in ...
... hat ... Einwohner / Geschäfte / Parks / Sehenswürdigkeiten ...
Es gibt ... / Man findet ...
Im Zentrum gibt es ...
Ich mag .... / Ich bin gerne ...

Rosi Rot und Wolfi

Glaubst du das?

A1 Was hilft gegen Kopfschmerzen? Was meinst du?

Mein Kopf tut so weh!

- ☻ ein Medikament ❄ nehmen
- ☻ spazieren gehen
- ☻ fernsehen
- ☻ Wasser trinken
- ☻ den Arzt fragen
- ☻ schlafen
- ☻ Fußball spielen
- ☻ einen Kopfstand machen

Ich nehme ein Medikament, das hilft.

Fernsehen ist schlecht, das hilft nicht.

Ich habe nie Kopfschmerzen.

❄ Medikament

A2 Akupunktur

a Sieh die Fotos und die Fragen an. Was passt zusammen? Was meinst du?

1 Warum hat Christina einen Termin bei Dr. Pölling? ?
2 Was machen Akupunkturärzte? ?
3 Woher kommt die Akupunktur? ?
4 Warum hilft Akupunktur? Wie kann man das erklären? ?

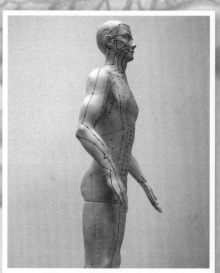

C Akupunktur ist gut für das Qi im Körper.

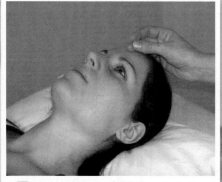

A Dr. Pölling stimuliert sechs Punkte mit Akupunkturnadeln.

B Christina hat Kopfschmerzen.

b Lies und hör den Text. Sind deine Vermutungen in **a** richtig? 🔊 ③ 11

|||||||||||||||||||||||| **Nadeln gegen Kopfschmerzen?** ||||||||||||||||||||||||

„Es hilft bestimmt! Deine Kopfschmerzen sind dann sicher weg."

„Aber die Nadeln!" Christina ist nervös. Sie ist mit ihrer Mutter beim Arzt.

Dr. Pölling, Christinas Arzt, ist Spezialist für Akupunktur. Christinas Mutter glaubt, er kann Christina helfen.

Dr. Pölling stimuliert sechs Punkte auf Christinas Körper mit Akupunkturnadeln, 30 Minuten lang. Der erste und der vierte Punkt tun zuerst sehr weh, doch dann hat Christina plötzlich keine Schmerzen mehr. Am Ende sind auch ihre Kopfschmerzen weg.

„Kannst du nächste Woche noch einmal kommen? Vielleicht am 12. Juli um drei Uhr?" Dr. Pölling notiert den Termin schon in seinem Kalender. Aber Christina ist nicht sicher: Die Kopfschmerzen sind doch weg, und die Nadeln ... Aber

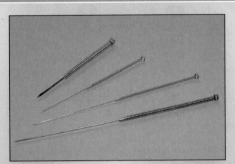

Dr. Pölling meint, der zweite Termin ist wichtig.

Warum hilft Akupunktur? Die Medizin in Europa kann das nicht erklären. Die Akupunktur ist sehr alt und kommt aus China. Schon 3000 Jahre lang gibt es in Asien Akupunkturärzte. Die Medizin in China kennt 341 Akupunkturpunkte. Der Arzt findet die richtigen Punkte und stimuliert sie. Akupunkturärzte glauben, das ist gut für das Qi im Körper. Aber was ist Qi eigentlich? Auch das kann die Medizin in Europa nicht erklären. Manche Ärzte denken, die Akupunktur ist für viele Patienten ein Placebo: Die Patienten glauben, Akupunktur hilft. Und dann hilft Akupunktur wirklich.

Christina ist zufrieden. Ihr Kopf tut nicht mehr weh. Aber da ist noch der zweite Termin am 12. Juli ...

Ihr nächster Termin:
Datum: 12.07.
Uhrzeit: 15:00 h

---

c Lies den Text noch einmal. Sind die Sätze richtig oder falsch?

		richtig	falsch
1	Christinas Mutter hat Kopfschmerzen.	？	？
2	Die Akupunktur tut nicht weh.	？	？
3	Dr. Pölling kann Christina helfen.	？	？
4	Christina muss noch einmal zu Dr. Pölling gehen.	？	？
5	In Europa gibt es 3000 Akupunkturärzte.	？	？
6	Akupunkturärzte müssen die richtigen Akupunkturpunkte finden und stimulieren.	？	？
7	„Qi" kann man nicht erklären.	？	？
8	Die Patienten glauben, Akupunktur ist ein Placebo.	？	？

helfen
ich helfe   wir helfen
du hilfst   ihr helft
er, es, sie, man hilft sie helfen

d Sprecht über die Fragen. Sprecht auch in eurer Muttersprache.

Kennst du einen Akupunkturarzt?

Möchtest du zu einem Akupunkturarzt gehen?

Was meinst du? Kann Akupunktur helfen?

Gibt es Qi? Was meinst du, was ist wohl Qi?

Ist Akupunktur „nur" ein Placebo?

D Die Akupunktur kommt aus China.

B1 Körperteile

a Wie heißen die Körperteile? Ordne die Wörter zu.

1 • Kopf	?	7 • Bauch	A
2 • Hals	?	8 • Brust	?
3 • Arm	?	9 • Finger	?
4 • Bein	?	10 • Zeh	?
5 • Hand	?	11 • Auge	?
6 • Fuß	?	12 • Rücken	?

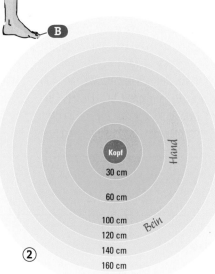

b Hör zu, sprich nach und vergleiche. 🔊 **3** 12

c Schreib die Körperteile aus **a** in die Grafiken und vergleiche mit einer Partnerin / einem Partner.

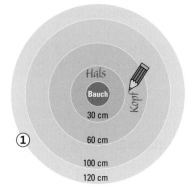

Hals
Bauch
Kopf
30 cm
① 60 cm
100 cm
120 cm

In Grafik ① ist der Bauch die Körpermitte. In Grafik ② ist der Kopf die Mitte. Wo sind die anderen Körperteile?

Kopf
Hand
30 cm
60 cm
100 cm
Bein
120 cm
② 140 cm
160 cm
180 cm

B2 Akupunktur ohne Nadeln: Akupressur

Akupressur ist Akupunktur ohne Nadeln. Tut dein Rücken weh oder hast du Kopfschmerzen? Dann finde den richtigen Akupressurpunkt und drücke den Punkt ca. 4 Minuten lang. Vielleicht hilft die Akupressur. Vielleicht geht es dir dann wieder gut.

ℹ️ ☉ Wie geht es dir?
◆ Schlecht. ↦ ◆ Wieder gut.

a Hör zu. Welche Probleme haben die Personen? Welche Akupressurpunkte können helfen? 🔊 **3** 13

Dialog 1	Bauchschmerzen	B
Dialog 2	⚫⚫⚫⚫	? ?
Dialog 3	⚫⚫⚫⚫	?
Dialog 4	⚫⚫⚫⚫	?

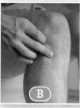   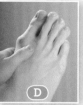 

Ⓐ Ⓑ Ⓒ Ⓓ Ⓔ

b Partnerarbeit. Macht Dialoge und zeigt die Akupressurpunkte.

☉ Ich habe Kopfschmerzen.
◆ Du musst den Punkt hier auf / über ... drücken.

✪ Kopfschmerzen ✪ Bauchschmerzen
✪ nervös sein ✪ Schnupfen ✿ haben

✿ • Schnupfen

C1 Monatsnamen

99 Vielleicht **am 12. Juli** um drei Uhr?

Ihr nächster Termin:
Datum: 12.07.
Uhrzeit: 15:00 h

a Ordne die Monatsnamen chronologisch. Hör zu und vergleiche. 🔊 **3** 14

| Februar | Oktober | Juni | November | September | Januar |
| ..... | ..... | ..... | ..... | ..... | 1 |

| Dezember | März | April | Juli | Mai | August |
| ..... | ..... | ..... | ..... | ..... | ..... |

b Hör noch einmal und markiere den Wortakzent in **a**.

Januar
.1.

c Hör zu und ergänze die Dialoge. Wann finden die Gespräche statt? 🔊 **3** 15

1 ☉ Ich brauche morgen einen Termin.
  ◆ Tut mir leid, im •••• ist kein Termin frei, aber •••• geht.

2 ☉ Wann beginnt die Schule?
  ◆ Im ••••.
  ☉ Schön, da habt ihr noch einen Monat Ferien.

3 ☉ Wann kommt Onkel Franz?
  ◆ Im ••••.
  ☉ Ach, das sind noch zwei Monate.

4 ☉ Tut mir leid, die CD kommt erst wieder im ••••.
  ◆ Aber da muss ich vier Wochen warten.

Gespräch 1: *im O* ••••
Gespräch 2: ••••
Gespräch 3: ••••
Gespräch 4: ••••

ⓘ Ferien = keine Schule

Wann? – **Im** Juli.

C2 Jahreszeiten

a Welches Bild passt? Hör zu, sprich nach und vergleiche. 🔊 **3** 16

1 ? 2 ? 3 ? 4 ?

A Winter **B** Herbst
C Sommer **D** Frühling

b Jahreszeiten und ihre Monate. Schreib die Monate.

Frühling: März ....

Meine Lieblingsjahreszeit ist der Sommer. Da bin ich oft im Schwimmbad.

Meine Lieblings-jahreszeit ...

c Was ist deine Lieblingsjahreszeit? Warum?

C3 Ordinalzahlen

> **Der erste** und **der vierte**
> Punkt tun zuerst sehr weh, ...

a) Ergänze, hör zu und vergleiche. 3 | 17

*fünf – der/die fün**fte***

eins	der/die **erste**
zwei	der/die zweite
drei	der/die dritte
vier	der/die vierte
fünf	der/die •••••
sechs	der/die •••••
sieben	der/die **siebte**
acht	der/die •••••
neun	der/die •••••
zehn	der/die •••••
elf	der/die •••••
zwölf	der/die •••••
dreizehn	der/die •••••
zwanzig	der/die zwanzig**ste**
zweiundzwanzig	der/die zweiundzwanzig**ste**
dreißig	der/die •••••
einunddreißig	der/die einunddreißig**ste**

b) Üb mit einer Partnerin oder einem Partner.

> Was ist der zweite Monat im Jahr?

> Februar. Was ist der siebte Monat?

C4 Arzttermine 3 | 18

a) Hör zu. Wann haben die Personen einen Arzttermin?

1 Frau Müller hat am ••••• um ••••• einen Termin.
2 Herr Meier hat am ••••• um ••••• einen Termin.
3 Jürgen möchte am ••••• um ••••• einen Termin.

> Was ist heute für ein Tag? –
> Heute ist der **12.5.**
> **der** 12. (zwölf**te**) 5. (fünf**te**)
> Wann kommst du? – **Am 12.5.**
> **am** 12. (zwölf**ten**) 5. (fünf**ten**)

b) Hör zu, sprich nach und vergleiche. 3 | 19

c) Rollenspiel. Findet freie Termine. Du bist die Sprechstundenhilfe, deine Partnerin / dein Partner braucht einen Zahnarzttermin.

1 ☉ Guten Tag, ich brauche einen Termin im März.
 ◆ Gerne, geht der ...?
 ☉ Nein, der ... geht leider nicht.
 ◆ Geht der ...?
 ☉ Ja, das geht.
 ◆ Um ... Uhr?
 ☉ Ja, vielen Dank.

2 ☉ Hallo, ich brauche einen Termin im ...
 ◆ Gerne, geht der ...?
 ☉ Wie bitte? Können Sie das bitte wiederholen?
 ◆ Geht der ...?
 ☉ Noch einmal bitte.
   Und sprechen Sie bitte langsam ✿.
 ◆ G e h t d e r ...?

◆ **Sprechstundenhilfe**

Freie Termine
Zahnarzt Dr. Benz   Sprechstunde: Mo–Fr 15:00–18:00 Uhr

März

1	2	3	4	5	6	7	8	9	10	11	12	13	14	15	16
17	18	19	20	21	22	23	24	25	26	27	28	29	30	31	

April

| 1 | 2 | 3 | 4 | 5 | 6 | 7 | 8 | 9 | 10 | 11 | 12 | 13 | 14 | 15 | 16 |
| 17 | 18 | 19 | 20 | 21 | 22 | 23 | 24 | 25 | 26 | 27 | 28 | 29 | 30 | | |

Juni

| 1 | 2 | 3 | 4 | 5 | 6 | 7 | 8 | 9 | 10 | 11 | 12 | 13 | 14 | 15 | 16 |
| 17 | 18 | 19 | 20 | 21 | 22 | 23 | 24 | 25 | 26 | 27 | 28 | 29 | 30 | | |

Oktober

| 1 | 2 | 3 | 4 | 5 | 6 | 7 | 8 | 9 | 10 | 11 | 12 | 13 | 14 | 15 | 16 |
| 17 | 18 | 19 | 20 | 21 | 22 | 23 | 24 | 25 | 26 | 27 | 28 | 29 | 30 | 31 | |

☉ **Patient / Patientin**

Freie Termine

März

1	2	3	4	5	6	7
8	9	10	11	12	13	14
15	16	17	18	19	20	21
22	23	24	25	26	27	28
29	30	31				

April

1	2	3	4	5	6	7
8	9	10	11	12	13	14
15	16	17	18	19	20	21
22	23	24	25	26	27	28
29	30					

Juni

1	2	3	4	5	6	7
8	9	10	11	12	13	14
15	16	17	18	19	20	21
22	23	24	25	26	27	28
29	30					

Oktober

1	2	3	4	5	6	7
8	9	10	11	12	13	14
15	16	17	18	19	20	21
22	23	24	25	26	27	28
29	30	31				

D1 Glück oder Unglück? Was meinst du?

Ein Kleeblatt bringt Glück.

Ein Spiegel ist kaputt. Das bringt …

ein Spiegel ist kaputt

eine schwarze Katze

ein Kleeblatt

ein Maskottchen

ein Kaminkehrer

ein Glücksschwein

Freitag, der Dreizehnte

D2 Das war Glück!

a) Was meinst du? Sieh das Foto an und kreuze an.

1 Wann ist das wohl?
Es ist   ? Morgen.   ? Mittag.   ? Abend.

2 Wohin gehen die Mädchen?
? Zur Schule.   ? Zum Sport.   ? Zur Gitarrenstunde.

3 Was sucht Irene?
Irene sucht   ? ihr Buch.   ? ihr Maskottchen.   ? ihren Fahrschein.

b) Welche Wörter aus D1 nennen die Mädchen? Hör zu und mach Notizen. 🔊 3 20

Freitag, Spiegel, …

c) Hör noch einmal und ergänze.

A Das wird ein Unglückstag. Aber komm, laufen wir, es ist schon spät.
B Ich stehe auf ✿, gehe ins Badezimmer, nehme meinen Spiegel, und …
C Das bringt Unglück! Und da schau, die schwarze Katze.
D Freitag, der Dreizehnte.

✿ Ich stehe auf.
(aufstehen)

Henriette	Irene
Komm, Irene, ich möchte pünktlich sein und nicht zu spät kommen.	
	Du, Henriette, was ist heute für ein Tag?
1 ?	Das auch noch!
Was heißt, das auch noch?	
	2 B
	Er war kaputt.
Ja und?	
	3 ?
Das bringt auch Unglück. Ich verstehe.	Mein Maskottchen ist weg.
4 ?	

d) Hat Irene Glück? Warum? Warum nicht? Sprich in deiner Muttersprache.

E1 Ein Unglückstag

a Hör Teil 1 und notiere die Uhrzeiten. 3 21

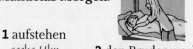
🔊 Der Spiegel **war** kaputt.

Manuelas Morgen:

1 aufstehen
sechs Uhr   **2** den Bruder wecken   **3** duschen

4 Kleider anziehen   **5** frühstücken ⚫⚫⚫⚫   **6** abfahren ⚫⚫⚫⚫

7 ankommen ⚫⚫⚫⚫   **8** Unterrichtsbeginn ⚫⚫⚫⚫

b Hör noch einmal. Was zieht Manuela an?

❓ ⚫ Jacke (-n)   ❓ ⚫ Bluse (-n)   ❓ ○ Mantel (¨)   ❓ ○ Jeans

❓ ⚫ T-Shirt (-s)   ❓ ⚫ Kleid (-er)   ❓ ⚫ Pullover (–)

c „Aber gestern war ein Unglückstag." Hör Teil 2 und verbinde die Sätze. Ergänze *war* oder *waren*.

1 „Es war schon halb sieben, **c**   3 22
2 „Die Jeans ❓
3 „Mein Lieblingskleid ❓
4 „Die Milch und die Cornflakes ❓
5 „Der Zug ❓
6 „Ich ❓

a *waren* in der Waschmaschine."   ⚫ Waschmaschine
b ⚫⚫⚫⚫ blau, nicht weiß."
c der Wecker *war* kaputt."
d ⚫⚫⚫⚫ auf Bahnsteig 3."
e ⚫⚫⚫⚫ um 10 Uhr in der Schule."   ⚫ Wecker
f ⚫⚫⚫⚫ aus."

> **Präteritum von *sein***
> ich **war**   wir **waren**
> du **warst**   ihr **wart**
> er, es, sie, man **war**   sie, Sie **waren**

d Schreib Sätze.

Manuela steht immer um … auf, aber gestern war es …

E2 Gestern hatte ich es noch. 3 23

Hör den Dialog und ergänze. Wo war der Rucksack?

> **Präteritum von *haben***
> ich **hatte**   wir **hatten**
> du **hattest**   ihr **hattet**
> er, es, sie, man **hatte**   sie, Sie **hatten**

⚫ Rucksack

⚫ Postbote

☉ Gestern *hatte* ich den ⚫⚫⚫⚫ noch. Jetzt ist er weg. Ich verstehe das nicht.
◆ Das gibt es doch nicht. Wo warst du gestern?
☉ In der Schule, da ⚫⚫⚫⚫ ich den Rucksack noch. Wir ⚫⚫⚫⚫ Unterricht und dann war ich beim Kiosk.
◆ ⚫⚫⚫⚫ du den Rucksack da noch?
☉ Ja, ganz sicher. Am Nachmittag war ich dann in der Stadt.
◆ Wo warst du denn in der Stadt?
☉ Am Nachmittag war ich dann auf dem Postamt und im Kleidergeschäft.
◆ Und am Abend ⚫⚫⚫⚫ ihr Fußballtraining?
☉ Ja, in der Sporthalle.
◆ Einen Moment, da ist jemand an der Tür. … Das war der ⚫⚫⚫⚫. Du ⚫⚫⚫⚫ Glück, schau, da ist dein Rucksack.

E3 Normale Tage – Unglückstage

a Partnerarbeit. Macht Partnerinterviews. Notiert die Antworten und erzählt in der Klasse.

am Morgen	6:00
am Vormittag	9:00
am Mittag	13:30
am Nachmittag	17:00
am Abend	18:00
	23:30

☉ Wo warst du gestern um sechs Uhr am Morgen?
◆ Ich war noch im Bett.

> *Marco war gestern um 6 Uhr noch im Bett.*

b Gruppenarbeit. Warum war gestern ein Unglückstag? Wie viele Sätze mit *war/hatte* könnt ihr in 8 Minuten schreiben?

Der Wecker war kaputt. Wir hatten keine Cornflakes. …

c Glück im Unglück. Findet positive Sätze zu den Sätzen aus **b**.

☉ Der Wecker war kaputt.
◆ Das macht doch nichts, lange schlafen ist gesund.
…

eXtra

F1 Freitag, der Dreizehnte

Lies und hör den Text.
Sind die Sätze richtig oder falsch?

 3 24

		richtig	falsch
1	Frau Müller ist am Freitag immer im Büro.	?	X
2	Freitag, der Dreizehnte ist für viele Menschen ein Unglückstag.	?	?
3	Das Apollo-Projekt war eine Katastrophe für die Astronauten.	?	?
4	Der „Schwarze Freitag" war in Europa ein Donnerstag.	?	?
5	Dienstag, der Dreizehnte ist in Spanien ein Unglückstag.	?	?
6	Freitag, der Dreizehnte ist in Japan kein Unglückstag.	?	?

F2 Wie war das Wochenende?

a Lies die Karten und die E-Mail.
Wo waren Lara und Julian am Wochenende?

Einladung
Ich werde 60 und lade alle meine Lieben ein.
Walter

Herzlichen Glückwunsch zum Geburtstag
wünschen Lara und Julian

b Schreib eine Antwortmail.
War die Party toll ☺ oder langweilig ☹? ✎

Hallo Jonas,
die Party ... super / schrecklich / langweilig / ganz okay ...
Tante / Onkel ... krank. Er / Sie hatte ... Onkel Walters Freunde ...
interessant / lustig / (un)sympathisch ... Die Musik ... zu laut /
toll ... Das Essen ... nicht gut / fantastisch. Onkel Walter hatte
... Das Wasser im Pool ... kalt / warm ❀ ... Die Familienspiele ...
langweilig / lustig / dumm. Wir ... Spaß / keinen Spaß. Wir ... bis ...
auf der Party / schon um ... im Bett. Bis bald ...

kalt   ❀   warm

Was ist Paraskavedekatriaphobie?

Psychologen meinen, Frau Müller ist krank. Sie sagen, Frau Müllers Krankheit heißt Paraskavedekatriaphobie. Das Wort ist griechisch. Paraskave (Παρασκευή) bedeutet Freitag und dekatria (δεκατρία) bedeutet dreizehn. Freitag, der Dreizehnte ist für Frau Müller einfach eine Katastrophe. Schon am Donnerstag ist sie nervös, und am Freitag arbeitet sie nicht, sondern bleibt den ganzen Tag zu Hause.

Warum? Viele Menschen denken, die Zahl dreizehn und der Wochentag Freitag bringen Unglück: Da war Apollo 13 im Jahr 1970, und da war der „Schwarze Freitag" 1929, ein Unglückstag für die Weltwirtschaft.

der „Schwarze Freitag" in New York

Freitag, der Dreizehnte: Der Tag kann kein Glückstag sein!
Doch stimmt das? Die Astronauten von Apollo 13 hatten Glück im Unglück: Sie hatten Probleme mit ihrem Raumschiff, aber alle drei Astronauten waren am Ende wieder sicher auf der Erde und am Leben. Und der „Schwarze Freitag" 1929 war nur in Europa wirklich ein Freitag, in den USA war der „Schwarze Freitag" ein Donnerstag! Freitag, der Dreizehnte ist auch nicht überall auf der Welt ein Unglückstag: In Spanien und Griechenland bringt

die Crew von Apollo 13

Dienstag, der Dreizehnte kein Glück. In Italien ist Freitag, der Siebzehnte ein Unglückstag. Und in Japan ist die Zahl 13 sogar eine Glückszahl!

Nachricht

An ... | Julian; Lara
Betreff | Geburtstagsparty

Hallo Julian, hallo Lara,
wie war Onkel Walters Geburtstagsparty
am Wochenende?
Jonas

Rosi Rot und Wolfi

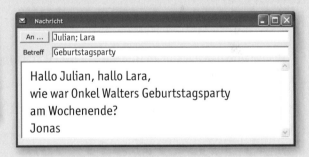

11 A Wer hat das gemacht?

A1 Kornkreise

a Sieh die Fotos an. Welche Figuren erkennst du?

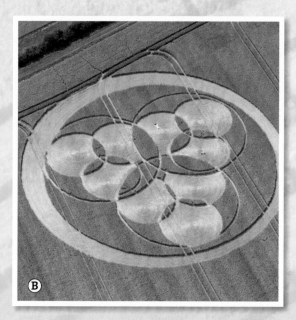

Ⓑ

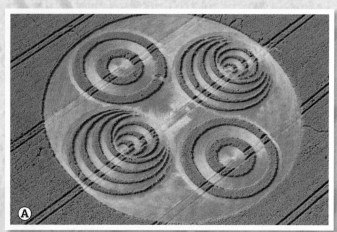

Ⓐ

Das ist ein Kreis.

Das sind …

● Rechteck (-e)   ● Dreieck (-e)   ● Kreis (-e)   ● Durchmesser (–)   ● Spirale (-n)   ● Quadrat (-e)

b Woher kommen die Kornkreise? Wer war das? Was meinst du? Kreuze an.

Ich denke, das waren …

Nein, ich denke, das waren keine … Das waren …

1 ❓ Tiere

2 ❓ Außerirdische

3 ❓ Bauern

4 ❓ Maschinen

5 ❓ ● Wetter

6 ❓ ● Magnetismus

7 ❓ …

c Was ist ein Kornkreisforscher? Such das Wort „Forscher" im Wörterbuch und kreuze an.

Ein Kornkreisforscher …   1 ❓ … macht Kornkreise.   2 ❓ … ist Experte für Kornkreise.

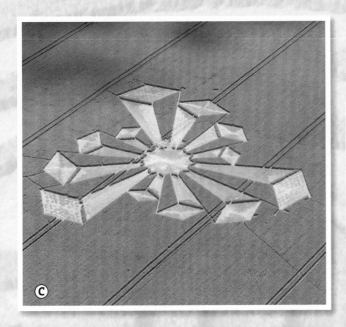

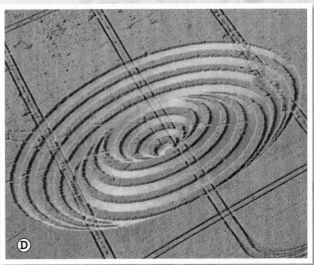

A2 Wer hat die Kornkreise gemacht?

a Lies und hör den Text. Was meint der Forscher? 3 25

Kornkreise

„Woher kommen nur die Kreise? Wer hat das gemacht?" Jakob Mielke auf der Insel Rügen ist böse. Sein Korn ist kaputt. In seinem Kornfeld sind seltsame Figuren: fünf große Kreise. Der kleine Kreis hat zehn Meter Durchmesser, der große 50 Meter. Jakob Mielke ist nicht allein. Jedes Jahr finden Bauern in England, Deutschland und Amerika hundertfünfzig bis dreihundert Kornkreise. Oft sind es nicht nur

Kreise, oft sind es auch andere Figuren: zum Beispiel Dreiecke oder Spiralen. Aber woher kommen die Figuren wirklich? Manche Menschen denken, die Kreise sind UFO-Landeplätze. Manche haben in der Nacht Licht gesehen: „Das waren sicher UFOs! Außerirdische geben Signale!" Viele Menschen denken aber, das ist Unsinn. Sie glauben, Menschen haben die Kreise gemacht.

Auch Jan Schochow glaubt nicht an UFOs. Jan Schochow ist Kornkreisforscher. „Wir machen Fotos und kontrollieren dann die Kreise ganz genau. In Deutschland hat ein Mann allein 110 Kornkreise gemacht. In England haben zwei Männer in einem Jahr 300 Kreise gemacht." Auf Englisch heißen die Kornkreismacher „hoaxer", auf Deutsch bedeutet das „Spaßmacher". Doch Jakob Mielke ist sicher: „Ein Mensch war das nicht!".

b Was ist richtig? Kreuze an.

1 Jakob Mielke ist   **A** ☐ kaputt.   **B** ☐ böse.   **C** ☐ seltsam.

2 Jedes Jahr finden Bauern   **A** ☐ 110   **B** ☐ 200   **C** ☐ 150–300   Kornkreise.

3 Manche Menschen denken, die Kornkreise sind   **A** ☐ UFO-Landeplätze.   **B** ☐ Spiralen.   **C** ☐ Unsinn.

4 Jan Schochow ist   **A** ☐ Bauer   **B** ☐ Forscher   **C** ☐ Fotograf   von Beruf.

5 In England heißen die Kornkreismacher   **A** ☐ Spaßmacher.   **B** ☐ „hoaxer".   **C** ☐ Außerirdische.

6 Jakob Mielke meint,   **A** ☐ Außerirdische   **B** ☐ Tiere   **C** ☐ Spaßmacher   waren das nicht.

B1 Ich habe etwas gehört und gesehen ...

> 99 Woher kommen nur die Kreise?
> Wer **hat** das **gemacht**?

a) Ordne zu.

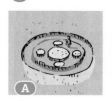

A   B   C   D

1 Er macht Kornkreise. (?)
2 Er hat Kornkreise gemacht. (?)
3 Er macht Apfelsaft. (?)
4 Er hat Apfelsaft gemacht. (?)

Perfekt   Partizip
Er **hat** Apfelsaft **gemacht**.

b) Perfektformen. Ordne die Infinitive zu.

Infinitiv
A glauben   E sehen
B essen   F lernen
C hören   G schlafen
D machen   H trinken

Perfekt
1 ich habe gesehen E
2 du hast gehört (?)
3 er hat geschlafen (?)
4 sie hat gemacht (?)
5 es hat getrunken (?)
6 wir haben gegessen (?)
7 ihr habt gelernt (?)
8 sie haben geglaubt (?)

c) Sortiere die Partizipien.

ge•••en | gesehen   ge•••t | gehört

B2 UFOs

a) Lies und hör den Text. Was hat Jakob Mielkes Nachbarin in der Nacht gesehen? ◀)) ③ 26

Veronika Wollin (Jakob Mielkes Nachbarin): „Der Tag war sehr seltsam. Auch die Tiere waren den ganzen Tag nervös. Ich habe um sieben Uhr zu Abend gegessen. Dann habe ich noch einen Tee getrunken. Bei Mielkes war um sieben Uhr kein Licht. Von meinem Haus kann ich ja ihr Haus sehen. Ich denke, sie haben schon geschlafen. Ich habe sehr schlecht

geschlafen. Um Mitternacht habe ich das UFO in Mielkes Kornfeld gesehen. Da war Licht in ihrem Feld, und da waren auch die Außerirdischen. Ich habe sie gehört und gesehen. Es war furchtbar. Ich habe die ganze Nacht nicht mehr geschlafen. Um fünf Uhr war kein Licht mehr in ihrem Kornfeld, da war das UFO weg."

b) Ergänze die Sätze.

1 Frau Wollin hat um 19:00 Uhr _zu Abend gegessen_.
2 Dann hat sie •••• . (Tee trinken)
3 Um Mitternacht hat sie •••• . (UFO sehen)
4 Sie •••• Außerirdische •••• und •••• . (hören und sehen)
5 Sie •••• nicht •••• . (schlafen)
6 Um fünf Uhr •••• . (UFO weg sein)

c) Was haben die Mielkes gehört und gesehen? Hör zu, notiere und vergleiche. ◀)) ③ 27-29

	Von 18 bis 22 Uhr, am Abend	Von 22 bis 24 Uhr, spät am Abend	Von 24 bis 4 Uhr, in der Nacht
Jakob Mielke (Vater)	zu Abend essen	•••••	•••••
Maria Mielke (Mutter)	••••• •••••	–	••••• •••••
Edmund Mielke (Sohn)	•••••	••••• •••••	••••• ••••• •••••

✪ zu Abend essen ✪
✪ schlafen ✪ Tee trinken ✪
✪ etwas hören ✪
✪ Abendessen machen ✪
✪ Hausaufgaben machen und lernen ✪ Licht sehen ✪

d) Partnerarbeit. Vergleicht: Wer hat was wann gemacht?

> _Jakob hat nichts gehört und gesehen. Aber Veronika ..._

B3   Wo genau sind denn eure Kornkreise?

a) Hör und lies den Dialog. Finde das Feld mit den Kornkreisen.   🔊 **3** 30

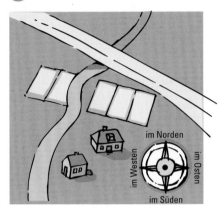

im Norden
im Westen
im Osten
im Süden

Veronika Wollin:	Wo genau sind denn eure Kornkreise, Jakob?
Jakob Mielke:	Schau, euer Haus ist hier im Süden und da im Osten ist unser Haus. Unsere und eure Felder sind im Norden.
Veronika Wollin:	Ja, unsere beiden Felder sind die hier im Westen. Im Osten sind eure drei Felder.
Jakob Mielke:	Genau, und im dritten Feld, genau hier an der Autobahn, sind die Kreise.
Veronika Wollin:	Dort habe ich auch das UFO gesehen. Hoffentlich kommt das UFO nicht noch einmal.

Possessivartikel
unser/euer ● Hund   unser Hund
unser/euer ● Haus
unser**e**/eur**e** ● Katze   euer Hund
unser**e**/eur**e** ○ Felder

b) Wer sagt was? Ergänze dann die Sätze.

W Veronika Wollin   **M** Jakob Mielke

A	in meinem Feld
B	mit ihrer UFO-Geschichte
C	in unseren Feldern
D	in eurem Kornfeld
E	In ihrem Haus
F	in seinem Kornfeld

1 **M**: „Am Morgen habe ich die Kreise **A** gesehen."

2 ?: „Mielkes haben zu Abend gegessen. ? war Licht."

3 ?: „Ich bin sicher, ? war ein UFO."

4 ?: „Vielleicht waren Veronikas Tiere ? und haben die Kreise gemacht."

5 ?: „Er hat gesagt, ? sind Kreise."

6 ?: „Schau, Veronika ist ? in der Zeitung."

Possessivartikel im Dativ

in mein**em** ● Wohnort   in mein**em** ● Haus   in mein**er** ● Straße   in mein**en** ○ Feldern
        dem   dem   der   den   ⊕ -n
auch bei: dein-, sein-, ihr-, unser-, eu(e)r-, ihr-, Ihr-

B4   Kettenspiel

a) Was hast du gesehen? Was hast du gehört? Schreib 2 – 3 Sätze.

Ich habe etwas Seltsames gesehen/gehört. Ich habe geglaubt, es war ..., aber es war ...

b) Namen und Sätze tauschen.

1 Schreib deinen Namen auf einen Zettel (zum Beispiel: _Anna_).

2 Such eine Partnerin/einen Partner (zum Beispiel: José). Sag deinen Satz. (_Ich habe etwas Seltsames gehört ..._). José sagt seinen Satz. Hör zu.

3 Tauscht Namenszettel. Du bist jetzt José. José ist jetzt Anna.

4 Such eine neue Partnerin/einen neuen Partner. Sag: „Ich bin José." Sag Josés Satz. Hör zu. Tauscht wieder die Namenszettel.

5 Such eine neue Partnerin ...

c) Das Original und die Kopie: Nennt den Originalsatz (z.B. Annas Satz) und die letzte Kopie (z.B. Pedro sagt Annas Satz). Gibt es Unterschiede?

C1 Landschaft, Pflanzen, Tiere

> „ In Jakob Mielkes **Kornfeld** sind seltsame Figuren.

a Partnerarbeit. Welche Wörter kennt deine Partnerin / dein Partner? Was denkst du?

> Ich denke, du kennst das Wort „Baum".

> „Baum"? Nein, keine Ahnung.

> Ja, ich denke „Baum" heißt …

• Wind (-e)	• Feld (-er)	• Garten (⸚)	• Hund (-e)	• Wald (⸚er)	• Regen
• Meer (-e)	• Schwein (-e)	• Autobahn (-en)	• Stadt (⸚e)	• Wetter	• Obst
• Korn	• Wein (-e)	• Tomate (-n)	• Gemüse	• Salat (-e)	• Apfel (⸚)
• Kartoffel (-n)	• Birne (-n)	• Katze (-n)	• Sonne (-n)	• Fisch (-e)	• Kuh (⸚e)
• Huhn (⸚er)	• Pferd (-e)	• Strand (⸚e)	• Wolke (-n)	• Baum (-e)	• Schaf (-e)

b Finde die neuen Wörter aus **a** und ordne sie den Bildern zu.

A ⦿ ·····   B ⦿ ·····   C ⦿ ·····   D ⦿ ·····   E ⦿ ·····   F ⦿ ·····

G ⦿ ·····   H ⦿ ·····   I ⦿ ·····   J ⦿ ·····   K ⦿ ·····   L ⦿ ·····

c Hör zu und vergleiche. ◁))) ③ 31

d Was passt wo? Sortiere die Wörter aus C1a in die Tabelle.

Landschaft ✳	Pflanzen ✿	Tiere	Wetter
• Feld	• Obst	• Hund	• Wind
…	…	…	…

✳ Landschaft   ✿ Pflanzen

> Außerirdische geben Signale!

C2 Partnerarbeit.

Nimm acht Münzen. Wähl ein Wort aus C1 und „zeichne" das Wort mit den Münzen. Deine Partnerin / dein Partner rät.

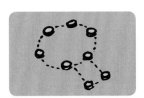

⊙ Was ist das?
◆ Ich denke, das ist ein Baum.
⊙ Richtig.

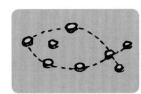

D1 Was hast du wirklich gemacht?

a) Julias Handy: Wann waren die Anrufe?

Tante Erikas
Anruf war um …

09:00 TANTE
ERIKA
11:00 ROBERT
11:05 SIMON
11:30 MAMA
11:35 LENA

b) Was passt? Hör den Dialog und ordne zu. 🔊 ❸ 32

1 „Julia, schau, da ist dein Handy. Es war hier in meiner Tasche."
2 „Gestern um vier war unser Training. Warum warst du nicht da?"
3 „Julia, was hast du gestern wirklich gemacht?"
4 „Um drei Viertel vier hatte ich einen Anruf von Tante Erika."

Julia   Fabian

Sandra

c) Hör noch einmal. Finde die Antworten.

1 Welche Anrufe aus **D1a** nennt Julia?
2 Was sagt Julia? Wann waren die Anrufe?

3 Wann waren die Anrufe wirklich? Such die Antwort in **D1a**.
4 Wer hat Julias Handy?

d) Fabian glaubt Julias Geschichte nicht. Warum? Was ist richtig? A oder B?

A ☐ Die Anrufe von Tante Erika, Robert und Julias Mutter waren nicht
wichtig. Deshalb glaubt Fabian Julias Geschichte nicht.

B ☐ Julias Handy war in Sandras Tasche. Deshalb glaubt Fabian Julias
Geschichte nicht.

E1 „Gute" Fragen – „schlechte" Fragen

Dann war meine Mutter am Telefon:
Sie **hat gefragt** und **gefragt** …

a Hör noch einmal.
Was hat Julias Mutter gefragt? Kreuze an.

3 33

1 ❓ Bist du in die Gitarrenstunde gegangen?
2 ❓ Hast du die Hausaufgaben gemacht?
3 ❓ Bist du einkaufen gegangen?
4 ❓ Bist du zu Hannes gefahren?
5 ❓ Hast du für Geschichte gelernt?
6 ❓ Ist Papa schon nach Hause gekommen?

Perfekt mit *sein*

fahren	Ich **bin** … **gefahren**.
gehen	Ich **bin** … **gegangen**.
kommen	Ich **bin** … **gekommen**.

fahren, gehen, kommen ➡ Perfekt mit **sein**

---

b Wer fragt wen wann?
Finde typische Situationen für die Fragen.

1	Wo warst du gestern? Situation: *Der Basketballtrainer fragt einen Spieler beim Training.* wer? wen? wann?
2	Hast du genug geschlafen? Situation: ⸺
3	Wann bist du gestern nach Hause gekommen? Situation: ⸺
4	Wie lange warst du gestern in der Disco? Situation: ⸺
5	Warum bist du nicht pünktlich gekommen? Situation: ⸺
6	Warum hast du nicht für Chemie gelernt? Situation: ⸺
7	War der Film gut? Situation: ⸺
8	Hattest du schöne Ferien? Situation: ⸺
9	Wohin bist du am Wochenende gefahren? Situation: ⸺
10	Was hast du mit meinem Fahrrad gemacht? Situation: ⸺

c Ordne die Fragen aus **b**. Finde dann noch mehr
„gute" und „schlechte Fragen".

☺ Die Fragen mag ich:	☹ Die Fragen mag ich nicht:
…	Warum hast du nicht für Chemie gelernt?
Kommst du zu meiner Geburtstagsparty?	…

E2 Wann hast du was gemacht?

a Bei Damirs Antworten gibt es einen Fehler.
Finde den Fehler.

<table>
<tr><td></td><td></td><td>Damirs Antworten:
von … bis …</td></tr>
<tr><td>1</td><td>Wann hast du gefrühstückt?</td><td>6:30 – 7:00</td></tr>
<tr><td>2</td><td>Wann bist du in die Schule gegangen?</td><td>7:15 – 7:45</td></tr>
<tr><td>3</td><td>Wann hast du zu Mittag gegessen?</td><td>14:00 – 14:30</td></tr>
<tr><td>4</td><td>Wann bist du einkaufen gegangen?</td><td>15:30 – 16:30</td></tr>
<tr><td>5</td><td>Wann hast du Musik gehört?</td><td>✂</td></tr>
<tr><td>6</td><td>Wann hast du Sport gemacht?</td><td>15:45 – 17:00</td></tr>
<tr><td>7</td><td>Wann sind deine Eltern nach Hause gekommen?</td><td>✂</td></tr>
<tr><td>8</td><td>Wann hast du Deutsch gelernt?</td><td>✂</td></tr>
<tr><td>9</td><td>Wann hast du Hausaufgaben gemacht?</td><td>17:30 – 19:00</td></tr>
<tr><td>10</td><td>Wann hast du zu Abend gegessen?</td><td>19:15 – 19:45</td></tr>
<tr><td>11</td><td>Wann bist du schlafen gegangen?</td><td>✂</td></tr>
</table>

*Damir hat gesagt, er ist …
und er hat … Das geht nicht.
Das war der Fehler.*

b Wähle sieben Aktivitäten aus **a** und erfinde neue
Uhrzeiten. Mach einen Fehler wie Damir.

c Partnerinterview. Macht Interviews und findet
dann die Fehler.

d Was waren die Fehler? Berichtet in der Klasse.

eXtra

F1 Marsmenschen

a Partnerarbeit. Findet die Reimwörter.

○ Sport ○ weg ○ ~~Spaß~~ ○ gelacht ○
○ ~~schön~~ ○ gemacht ○ Schreck ○ wichtig ○
○ fort ○ richtig ○ nie ○ Biologie ○
○ Wälder ○ Mars ○ Felder ○ seh'n ○

Spaß — Mars, schön — seh'n, ...

b Ergänze die Reimwörter aus **a** in dem Lied.

c Hör zu und vergleiche. 3 34

F2 Lies die Mail.

Schreib eine Antwort.

An ... Carina
Betreff Kino

Hallo Carina, wo warst du gestern um vier?
Wir waren alle im Kino, der Film war toll,
aber du warst nicht da. Wo warst du?
Gregor

Lieber Gregor,
es tut mir leid. Gestern um vier Uhr hatte ich keine Zeit.
Ich hatte ...
Ich war ...
Ich habe ... (gelernt / gemacht / ...)
Ich bin ... (gegangen / gefahren / ...)
Bis bald ...

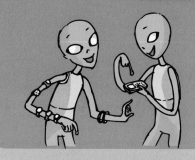

Wer hat das gemacht?

1
Hilfe! Meine Uhr ist ⬤⬤⬤.
Ich komme viel zu spät zum ⬤⬤⬤.
Und im Handy, so ein ⬤⬤⬤,
sind plötzlich alle Nummern ⬤⬤⬤.

Refrain
Wer hat das ⬤⬤⬤?
Sie waren das: Die Menschen vom ⬤⬤⬤.
Wer hat da ⬤⬤⬤?
Haha! Sie waren das und sie hatten viel ⬤⬤⬤.

2
Es war keine Antwort ⬤⬤⬤?
Eine Sechs in ⬤⬤⬤?
Dieser Test war doch so ⬤⬤⬤!
Oje, so schlecht war ich noch ⬤⬤⬤!

Refrain

3
Keine Wiesen, keine ⬤⬤⬤,
man kann nur Autobahnen ⬤⬤⬤.
Hey, wo sind die grünen ⬤⬤⬤?
Gestern war es hier noch ⬤⬤⬤.

Refrain

Rosi Rot und Wolfi

Das ist seltsam …

A1 **Das Geisterhaus**

a **Schreib Sätze.**

> • Geist (-er) • Gesicht (-er) • Küchenboden (¨)
> • Angst haben • Skelett (-e) • Friedhof (¨e) ✪ putzen

A Maria sieht ein auf dem .

B Sie  den , aber das bleibt.

C Maria Gómez wohnt in einem  haus.

D Marias Haus steht auf einem  .

E Maria Gómez  .

F Unter dem Haus findet man drei  .

Maria sieht ein Gesicht auf dem Küchenboden. Sie putzt …

b **Das ist die richtige Reihenfolge der Sätze. Wo passen die Sätze A und F?**

1 **C** 2 **?** 3 **B** 4 **E** 5 **?** 6 **D**

c **Was steht in der Geschichte von A2? Was meinst du?**

Die Frau heißt …

Eine Frau sieht …

A2 Lies und hör den Text. Stimmen deine Vermutungen aus A1c? 🔊 3 35

Die Gesichter von Belmez

Maria Gómez lebt in Belmez, in Andalusien. An einem Vormittag ist Maria in ihrer Küche und möchte den Einkauf einräumen. Da sieht sie das Gesicht: Augen, eine Nase und einen Mund. Maria holt Wasser und putzt den Boden, doch das Gesicht bleibt. Maria hat Angst.

Auch Marias Sohn Miguel sieht das Gesicht auf dem Küchenboden. Auch er hat Angst. Er holt Beton und macht den Fußboden neu. Doch das Gesicht kommt wieder. Bald sind viele Gesichter in Marias Haus: in ihrer Küche, in ihrem Wohnzimmer und in ihrem Schlafzimmer.

Die Gesichter kommen und gehen. Doch Maria und ihre Familie haben jetzt keine Angst mehr. Die Gesichter sind für sie normal. Für die Touristen sind die Gesichter eine Attraktion. Jeden Tag kommen Menschen nach Belmez und wollen Marias Haus sehen. Auch Experten kommen und suchen eine Erklärung. Sie finden drei Skelette unter dem Haus. Maria Gómez weiß jetzt: Ihr Haus steht auf einem Friedhof. Doch die Gesichter in Marias Haus bleiben: Manchmal sehen sie fröhlich aus, manchmal traurig oder böse.

Belmez hat nur 2000 Einwohner, aber bald kennen Tausende Menschen die kleine Stadt in Andalusien. Touristen, Journalisten und Forscher kommen und besuchen Marias Haus. Maria wird eine wichtige Person im Ort: Eine Straße in Belmez bekommt ihren Namen.

Bald gibt es eine zweite Attraktion für die Touristen: Das Geburtshaus von Maria Gómez! Auch dort kann man heute Gesichter sehen: In der Küche, im Wohnzimmer, im Schlafzimmer und natürlich in Marias Kinderzimmer.

A3 Richtig oder falsch?

Kreuze an und korrigiere die Fehler in den falschen Sätzen.

		richtig	falsch	
1	Maria sieht auf dem Fußboden in der Küche ~~eine Hand.~~ _Maria sieht auf dem Fußboden in der Küche ein Gesicht._	?	☒	
2	Maria putzt den Boden, und das Gesicht ist weg.	?	?	⸱⸱⸱⸱
3	Marias Sohn Miguel macht den Boden im Wohnzimmer neu.	?	?	⸱⸱⸱⸱
4	Zuerst haben Maria und Miguel Angst, doch später haben sie keine Angst mehr.	?	?	⸱⸱⸱⸱
5	Marias Haus ist eine Attraktion für Touristen.	?	?	⸱⸱⸱⸱
6	Journalisten finden drei Skelette unter Marias Haus.	?	?	⸱⸱⸱⸱
7	Ein Museum in Belmez bekommt Marias Namen.	?	?	⸱⸱⸱⸱
8	In Belmez gibt es heute zwei Häuser mit Gesichtern.	?	?	⸱⸱⸱⸱

A4 Glauben oder wissen? Woher kommen die Gesichter?

Was denkst du? Sprich auch in deiner Sprache.

Ich bin sicher, ... hat die Gesichter gezeichnet.

Ich glaube, die Gesichter sind ...

B1 Ein Ferienhaus in Andalusien

> „ Bald sind viele Gesichter in Marias Haus: in ihrer **Küche**,
> in ihrem **Wohnzimmer** und in ihrem **Schlafzimmer**.

(a) Was ist was? Ordne zu.

1	● Toilette	?
2	● Decke	J
3	● Badezimmer (Bad)	?
4	● Wand	?
5	● Flur	?
6	● Kinderzimmer	?
7	● Schlafzimmer	?
8	● Küche	?
9	● Boden	?
10	● Wohnzimmer	?

11	● Fernsehapparat	?
12	● Waschmaschine	?
13	● Sofa	?
14	● Schrank	?
15	● Regal	?
16	● Bett	o
17	● Dusche	?
18	● Herd	?
19	● Badewanne	?
20	● Kühlschrank	?

(b) Hör zu, wiederhole und vergleiche. 🔊 ❸ 36

(c) „Sehr gemütlich!" Frau Weiß zeigt das Ferienhaus in a.
     Aber es gibt fünf Unterschiede. Hör zu und finde die Unterschiede. 🔊 ❸ 37

Die Küche ist nicht links, die Küche ist ...

B2 Die Gesichter kommen und gehen.

(a) Wo sind die sechs Gesichter in B1?
     Finde sie und beschreibe den Ort.

Ein Gesicht ist im Wohnzimmer an der Wand neben / vor / hinter / über ...

(b) Partnerarbeit. Du siehst plötzlich ein neues Gesicht, das Gesicht Nummer 7! Du hast Angst, du kannst nur „ja" oder
     „nein" sagen. Wo ist das Gesicht? Deine Partnerin / dein Partner rät wie im Beispiel.

☉ Ist das Gesicht im Wohnzimmer?
☉ Ist es im Schlafzimmer?
☉ Ist es an der Wand?
☉ Ist es am Boden?
☉ Ist es vor dem Bett?
...

J...J...Ja.   *N...N...Nein.*

B3 Partnerarbeit. Sprich über dein Haus oder deine Wohnung ✿.

Wir haben ...   *Wir haben kein / keine / keinen ...*   *In der Küche haben wir ...*

✿ ● Wohnung

C1 Geister im Computer

a) Hör und lies die drei Spielbeschreibungen.
Finde die Titel.

🔊 ③ 38

A   B   C

Du bist der Herr der Geister. Du hast 20 Hilfsgeister. ?
Du schickst deine Geister in die Häuser von Neustadt.
Dort sammeln sie Geisterpunkte. Du kannst deine
Geister aber auch in den Supermarkt, ins Kino, in den
Zoo, ins Museum oder in die Schule von Neustadt
schicken. Doch du musst aufpassen! Die Geisterjäger
von Neustadt sind gefährlich.

Du bist ein Druide und suchst Merlins Zauberbuch. ?
Auf deiner Suche musst du in den magischen Wald,
an den Blumensee, in den Wolkenturm und ans Meer
wandern. Böse Geister stehen dir im Weg. Dein
Zauberring kann dir helfen, aber du brauchst gute
Strategien. Der Zauberring zeigt dir den Weg.

Pacman sammelt Punkte. Doch du musst aufpassen! ?
Die Geister aus dem Geisterhaus sind schnell, sehr
schnell! Und es werden immer mehr. Bist du schon
ein Pacman-Profi? Dann geh einfach ins Internet
und spiel dort gegen andere Pacman-Fans!

> ℹ weit gehen = wandern

b) Lies das Textzitat.
Sammle ähnliche Beispiele aus den Texten in a.

> 99 Du schickst deine Geister
> **in die Häuser** von Neustadt.

Text 1: *in die Häuser*, ••••   Text 2: ••••   Text 3: ••••

Wohin?	in + Akkusativ	in ● den	in ● das (= ins)	in ● die
	an + Akkusativ	an ● den	an ● das (= ans)	an ● die

c) Finde die richtigen Spiele und ordne zu.
Ergänze auch *in*, *ins*, *an* und die Artikel.

A	Geisterjäger	2	?
B	Der Zauberring	?	?
C	Das Geisterhaus	?	?

1 ☉ Langsam wird das Spiel langweilig.
◆ Dann geh doch <u>ins</u> Internet und spiel dort
mit einem Internetpartner.

2 ☉ Wohin fliegt dein Geist jetzt?
◆ •••• Zoo. Dort sind im Moment keine
Geisterjäger.

3 ☉ Wie komme ich •••• Wolkenturm?
◆ Keine Ahnung.

4 ☉ So, das war der magische Wald. Wohin muss
ich jetzt reisen?
◆ •••• Blumensee.

5 ☉ Pass auf, du läufst direkt •••• Geisterhaus.
◆ Ach ja, dann schnell nach links.

6 ☉ Wohin muss ich zuerst gehen?
◆ •••• Schule.

C2 Computerspiele

a) Was ist für das Spiel wichtig? Finde die richtigen Tipps.

A 2   B ?   C ?
Reaktionsspiel Strategiespiel (15 €) Lernspiel

D ?   E ?   F ?
Abenteuerspiel Reaktionsspiel (30 €) Minispiel

1 Das Spiel ist sehr einfach. Oft kannst du es auch
auf dem Handy spielen.

2 Du musst am Computer sehr schnell sein.

3 Das Spiel erzählt eine Geschichte, die Spieler
sind Figuren in der Geschichte.

4 Du spielst und lernst am Computer.

5 Du musst dein Spiel gut planen.

b) Wer spielt was? Wie viel kosten die Spiele?
Hör die Dialoge und schreib Sätze.
Such auch in **C2a**.

🔊 ③ 39

1 Sabine *spielt kein Spiel*.
   Julian *spielt „Buggy Jump"*. Es kostet ▭.
2 Philipp ▭ Es kostet ▭.
   Claudia ▭ Es kostet ▭.
3 Sophie ▭ Es kostet ▭.
   David und Stefan ▭ Es kostet ▭.
4 Herr Bauer ▭ Es kostet ▭.

 „Double Dunk"
kostet 30 €.

 30€

Es ist gratis. = Es kostet nichts.

c) Hör noch einmal. Wem gefällt was?

1 „Computerspiele gefallen mir
   überhaupt nicht."
2 „Mir gefällt das Spiel ganz gut."
3 „Strategiespiele gefallen mir
   nicht so gut."
4 „„Double Dunk' gefällt dir sicher."
5 „„Südseepirat' gefällt uns nicht
   so gut."
6 „„Ping Pong'? Das gefällt euch?"
7 „„Tetris' gefällt Ihnen?"

mir = *Sabine*

mir = ▭
mir = ▭

dir = ▭

uns = ▭

euch = ▭
Ihnen = ▭

d) Schreib Sätze.

Sabine: Computerspiele gefallen ihr überhaupt nicht.

Pronomen							
Dativ	**mir**	**dir**	**ihm**	**ihr**	**uns**	**euch**	**ihnen**	**Ihnen**
Nominativ	ich	du	er	sie	wir	ihr	sie	Sie

C3 *Welch- ...?*

a) Finde die Antworten in **C1** und **C2**.

welche**r** ● Junge   welch**e** ● Aufgabe
welche**s** ● Mädchen   welch**e** ○ Spiele

1 Welches Spiel ist ein Strategiespiel? ▭
2 Welche Spiele sind Reaktionsspiele? ▭
3 Welcher Junge spielt „Buggy Jump"? ▭
4 Welches Mädchen mag keine ▭
   Computerspiele?
5 Welche Aufgabe hat der Spieler ▭
   im Spiel „Zauberring"?

b) Partnerarbeit. Sammelt Fragen zu den Spielen in
C1 und **C2** mit *welch-*? Fragt in der Klasse.

Welch▭ Spiel ist ▭?
Welch▭ Spiele sind ▭?
Welch▭ Junge spielt ▭?
Welch▭ Mädchen spielt ▭?
Welch▭ Aufgabe hat der Spieler ▭?
...

C4 **Klassenstatistik.**
Welche Spiele gefallen dir?

a) Macht Interviews mit drei Partnern in der Klasse
und schreibt die Informationen auf.

Interviewfragen:
Hast du schon einmal Computerspiele gespielt?
Welche Spiele gefallen dir? (Strategiespiele/
Abenteuerspiele/Minispiele/Reaktionsspiele/
Lernspiele)
Welches Spiel gefällt dir besonders gut?
Welches Spiel gefällt dir nicht?
Hast du schon einmal ein Computerspiel gekauft?
Wie viel hat das Spiel gekostet?

Sven: Ihm gefallen Reaktionsspiele.
         „Double Dunk" gefällt ihm besonders gut.
         Minispiele gefallen ihm nicht.
         Er hat noch kein Computerspiel gekauft.

Annika: Ihr gefallen Abenteuerspiele.

b) Erzählt in der Klasse.    *Sven gefallen ...*

D1 Hausarbeit

a Hör zu und ergänze den Dialog. Was machen die Jugendlichen gerne / nicht gerne? 🔊 3 40

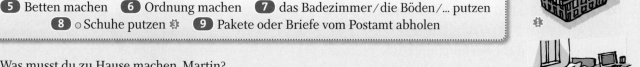

1 ● Wäsche waschen ❄   2 ● Zimmer aufräumen ❄   3 kochen   4 einkaufen
5 Betten machen   6 Ordnung machen   7 das Badezimmer / die Böden / … putzen
8 ○ Schuhe putzen ❄   9 Pakete oder Briefe vom Postamt abholen

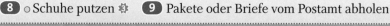

☉ Was musst du zu Hause machen, Martin?

◆ Ich muss mein Zimmer aufräumen und Ⓐ. Was musst du machen?

☉ Ich muss auch mein Zimmer aufräumen, Schuhe putzen und Ⓑ. Ich koche zweimal pro Woche. Das mache ich ganz gerne. Die Schuhe putze ich nicht so gerne. Gehst du gerne Ⓒ?

◆ Nein, eigentlich nicht. Da räume ich lieber mein Zimmer auf.

A **4** *einkaufen*   B **?**   C **?**

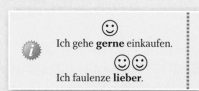

Ich gehe **gerne** einkaufen.
Ich faulenze **lieber**.

b Partnerarbeit. Was müsst ihr zu Hause machen?
Was macht ihr gern / nicht gern?
Vergleicht die Arbeiten. Was macht ihr lieber?

Ich muss … und …   *Was machst du lieber?*

D2 Mamas Nachricht

a Hör den Dialog und ordne die Fotos. 🔊 3 41

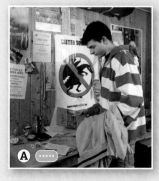  

Ⓐ …..   Ⓑ …..   Ⓒ …..

Anrufbeantworter

einschalten
ausschalten

b Hör noch einmal. Welche Hausarbeiten muss Daniel machen? Notiere Tätigkeiten aus **D1a**.
1 ⸺   2 ⸺   3 ⸺

c Bilde Sätze. Welche vier Sätze erzählen die Geschichte?

1 Daniel hört **?**
2 Daniel macht **?**
3 Mamas Nachricht auf dem Anrufbeantworter **?**
4 Daniels Mutter sagt, **?**

Ⓐ … alle Arbeiten im Haushalt.
Ⓑ … die Nachrichten auf dem Anrufbeantworter.
Ⓒ … sie hat die Schuhe geputzt.
Ⓓ … sie hatte keine Zeit für einen Anruf.
Ⓔ … einen Anruf.
Ⓕ … ist für Papa.
Ⓖ … ist weg.
Ⓗ … mit den Hausaufgaben.

d War wirklich eine Nachricht auf dem Anrufbeantworter?
Was meinst du? Sprich auch in deiner Sprache.

E1 Eine Nachricht für …

 Die Nachricht war für **mich**.

Hör zu. Für wen sind die Nachrichten? ◀))) ③ 42

○ Gerald ○ Manfred ○ Sandra ○ Margit ○ Maria ○ Mathias ○

1 „Die erste Nachricht war für ihn, für ·····.“
2 „Die zweite Nachricht war für dich, ·····.“
3 „Die dritte Nachricht war für uns, für ····· und für mich.“
4 „Die vierte Nachricht war für euch, ····· und ·····.“
5 „Die fünfte Nachricht war für sie, für ·····.“

Hallo,
hier spricht …

Pronomen									
Akkusativ	**mich**	**dich**	**ihn**	sie	es	**uns**	**euch**	sie	Sie
Nominativ	ich	du	er	sie	es	wir	ihr	sie	Sie

E2 Was ist das wohl?

ⓐ **Rate.**

In **ihm** findest du Essen und Trinken.
In **ihm** ist es kalt.
Er steht meistens in der Küche.
Lösung: *der cülshrKankh*

Wir müssen **sie** kochen.
Wir essen **sie** vor der Hauptspeise.
In **ihr** ist manchmal Gemüse.
Lösung: *die puSep*

Wir müssen **es** machen.
Es steht nicht in der Küche.
Wir schlafen in **ihm**.
Lösung: *das teßt*

Wir gehen mit **ihnen**.
Wir müssen **sie** putzen.
Wir brauchen **sie** jeden Tag.
Lösung: *die huceSh*

Pronomen	Singular			Plural	
Nominativ	er	es	sie	sie	Sie
Akkusativ	ihn	es	sie	sie	Sie
Dativ	ihm	ihm	ihr	ihnen	Ihnen

ⓑ **Schreib jetzt selbst ein Rätsel. Die anderen raten. (Schau auch ins Wörterverzeichnis ab Seite 128.)**

○ Fahrrad ○ Herd ○ Kugelschreiber ○ Fenster ○ Fernsehapparat ○
○ Fotoapparat ○ Wand ○ Handy ○ Lampe ○ …

E3 Telefongespräche. Daniels Mutter und Miguel Gómez am Telefon.

Wer ist wer? Finde die Namen und die Nomen für die Pronomen. Die Texte auf Seite 119 und Seite 115 helfen dir. ◀))) ③ 43

①**Ich** komme zu ②**ihm** nach Hause …
und ③**er** hat alle Hausarbeiten gemacht
… da war eine Nachricht für ④**ihn** auf
dem Anrufbeantworter. …. und er sagt
zu ⑤**mir** „Hör zu, da ist ⑥**sie**. Sie ist
sicher von ⑦**dir**.“ Aber da war ⑧**sie**
nicht. ⑨**Sie** war weg. Das war wirklich
seltsam für ⑩**uns**.

… ⑪**Es** ist in der Küche, auf dem Küchenboden. … ⑫**Sie** putzt
⑬**ihn** jeden Tag, aber ⑭**es** kommt immer wieder. … Ja, ⑮**sie**
kommen jeden Tag und wollen ⑯**sie** sehen. Für ⑰**sie** sind
⑱**sie** eine Attraktion. ⑲**Wir** sprechen mit ⑳**ihnen** und zeigen
㉑**ihnen** das Haus. ㉒**Sie** möchten ㉓**uns** auch Geld geben,
aber wir nehmen kein Geld … Ja, ㉔**er** findet ㉕**sie** unter dem
Haus! … ㉖**Ich** frage ㉗**ihn**: Was bedeutet das? … ㉘**Er** meint,
㉙**es** steht auf einem Friedhof … Nein, ㉚**wir** haben keine Angst …

① = *Thomas' Mutter*   ② = ·····   …   ⑪ = *das Gesicht*   ⑫ = ·····   …

F1   Die Gesichter von Belmez

a Miguel Gómez macht auch die Wände neu. Welche Steinfiguren passen?

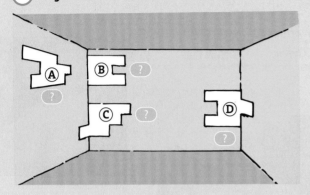

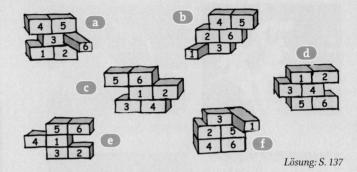

Lösung: S. 137

b Partnerarbeit. Beschreib eine Steinfigur a - f aus a. Dein Partner findet die richtige Figur.

☺ Der Stein Nummer eins ist links neben dem Stein Nummer zwei. Der Stein Nummer drei ist über den Steinen Nummer eins und zwei. Auf dem Stein Nummer drei sind die Steine vier und fünf. Der Stein Nummer fünf ist neben dem Stein Nummer vier. Der Stein Nummer sechs ist unter dem Stein Nummer fünf.

◆ Das ist Figur a.

F2   Ferienwohnungen

a Lies Beas Mail. Wo sind welche Zimmer in Beas Plan?

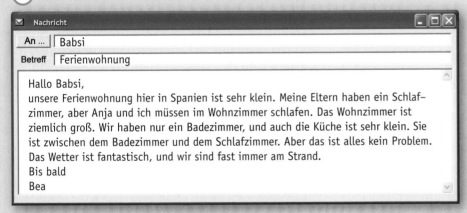

✉ Nachricht

An ... | Babsi
Betreff | Ferienwohnung

Hallo Babsi,
unsere Ferienwohnung hier in Spanien ist sehr klein. Meine Eltern haben ein Schlaf–
zimmer, aber Anja und ich müssen im Wohnzimmer schlafen. Das Wohnzimmer ist
ziemlich groß. Wir haben nur ein Badezimmer, und auch die Küche ist sehr klein. Sie
ist zwischen dem Badezimmer und dem Schlafzimmer. Aber das ist alles kein Problem.
Das Wetter ist fantastisch, und wir sind fast immer am Strand.
Bis bald
Bea

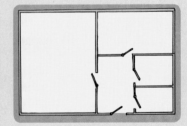

b Du wohnst mit deinen Eltern in einer Ferienwohnung. Zeichne einen Plan und beschreibe deine Wohnung in einer E-Mail.

🖉 *Hallo ...,*

unsere Ferienwohnung ...

Wir haben ... Es gibt ...

Das Wohnzimmer / Das Schlafzimmer ist ...

In der Küche/Im Badezimmer gibt es ...

c Gruppenarbeit. Hängt die Pläne im Klassenzimmer auf. Sammelt alle Texte ein und verteilt sie neu. Sucht den Plan für euren Text.

Rosi Rot und Wolfi

Schau, der Schrank ist ganz neu.

Woher hast du den Schrank?

Aus Transsilvanien.

Bring ihn zurück, Wolfi!

Landeskunde

LK1 Fakten

a Hör den Text und ergänze die Tabelle. **3** 44

Neujahr

Ostern

Tag der Arbeit

Weihnachten

✖ 15.8. ✖ 1.5. ✖ 26.10. ✖ 25. + 26.12. ✖ 1.1. ✖
✖ 1.8. ✖ März oder April ✖ 3.10. ✖

Wichtige Feiertage		Nationalfeiertage	
Neujahrstag:	1.1.	Deutschland:	•••••
Tag der Arbeit:	•••••	Österreich:	•••••
Ostern: 	•••••	Schweiz:	•••••
Weihnachten:	•••••	Liechtenstein:	15. 8.

ℹ  = kirchlicher Feiertag

b Partnerarbeit. Wann sind die Feiertage?
Macht ein Quiz.

⊙ Wann ist Ostern?
◆ Im März oder im ...

⊙ Wann ist in Deutschland Nationalfeiertag?
◆ Am ...

c Welche Feiertage feiert man auch in deinem Land?

 *Wir feiern auch ...*   *Bei uns ist ... ein Feiertag.*

Glaubst du an den Osterhasen?

LK2 Beispiele

a Was meinst du? Welche Fotos passen zu welchem Fest?

Weihnachten: **1** **?** **?**
Ostern: **?** **?**

2
Wie ein Engel:
das „Nürnberger Christkindl"

1
Wunschbriefe an das Christkind

b Lies und hör den Text. Vergleiche **3** 45-46
mit deinen Antworten aus a.

Wer glaubt an das Christkind?
Geschichten für große und kleine Kinder

**Ostern und Weihnachten sind zwei wichtige Feste
in Deutschland, in Österreich und in der Schweiz.
Kennst du die Geschichten vom Christkind und
vom Osterhasen?**

In vielen Regionen erzählt man den Kindern die Geschichte
vom Osterhasen. Der Osterhase bemalt vor Ostern Tausende
Eier. Am Ostersonntag versteckt er die Eier im Garten, und
die Kinder müssen die Eier suchen. In manchen Büchern
kann man auch Geschichten über andere Ostertiere lesen:
Früher hat man in vielen Regionen geglaubt, ein Fuchs, ein
Hahn oder ein Kuckuck bringen die Eier zu Ostern. Doch
heute muss der Hase die ganze Arbeit alleine machen.

c Wer macht was wann? Erzähle.

Zu Weihnachten schreiben die Kinder ...   *Das Christkind ...*

 *Zu Ostern ...*    *Der Osterhase ...*

Der Osterhase bemalt Eier.

Weihnachtsbaum
mit Geschenken

Wer versteckt die Eier im Garten:
Fuchs, Hahn, Kuckuck oder Hase?

In Österreich und Süddeutschland erzählt man die Geschichte vom Christkind: Das Christkind ist ein kleiner, blonder Engel mit blauen Augen. Im Dezember schreiben die Kinder Wunschbriefe an das Christkind. In Österreich gibt es in der kleinen Stadt „Christkindl" sogar ein eigenes Weihnachtspostamt für diese Briefe. Am 24. Dezember kommt das Christkind und bringt den Weihnachtsbaum und die Geschenke.
Ein wirkliches Christkind gibt es in Nürnberg: Jedes Jahr wählen die Menschen auf dem Nürnberger Christkindlmarkt eine junge Frau zum „Nürnberger Christkindl". Auch das Nürnberger Christkindl hat viel Arbeit: Hundertachtzig Termine stehen in den vier Wochen vor Weihnachten in seinem Terminkalender.

- ✪ Eier suchen
- ✪ Briefe schreiben
- ✪ Eier verstecken
- ✪ Geschenke bringen
- ✪ Weihnachtsbaum bringen
- ✪ Eier bemalen

Nürnberg

d **Lies Jakobs E-Mail und beantworte die Fragen.**

1 Warum gibt es in Köln fünf Jahreszeiten?
2 Was machen die Menschen im Karneval?
3 Wer oder was ist der „Nubbel"?
4 Warum ist der „Nubbel" für die Menschen in Köln wichtig?

Nachricht

An ...

Betreff   Karneval in Köln

Hallo ...,
hier in Köln haben wir nicht vier Jahreszeiten, sondern fünf! ;-)
Im Januar und Februar feiern wir den Karneval oder Fasching. Das ist für uns die fünfte Jahreszeit. Es gibt Faschingspartys und Faschingsumzüge. Die Menschen tragen verrückte Kleider und tanzen und feiern auf den Straßen. Wir basteln dann auch immer eine große Puppe, den „Nubbel". Die Puppe ist das Symbol für den Karneval. Die Puppe ist sehr wichtig für uns. Warum? Wir machen alle oft verrückte Dinge im Karneval. Doch am Dienstag vor dem Aschermittwoch sagen wir: „Das waren nicht wir, das war der Nubbel. Der Nubbel hat diese verrückten Sachen gemacht." Dann verbrennen wir die Puppe, und der Karneval ist zu Ende.
Feierst du auch Karneval in deinem Land? Gibt es andere interessante Feste? Schreib doch eine Mail und erzähle von deinem Lieblingsfest.
Bis bald
Jakob

Karnevalsumzug
in Köln

In Köln bastelt man
eine Karnevalspuppe,
den „Nubbel".

Am Faschingsdienstag
verbrennt man den
„Nubbel".

LK3   **Und jetzt du!**

a **Partnerarbeit. Sammelt gemeinsam Informationen zu diesen Themen.**

Feste	Kleider
Lieblingsfest	Geschenke
Wann	Aktivitäten
Essen und Trinken	Traditionen
Musik	Geschichten

b **Schreib eine Antwort auf Jakobs Mail.**

Hallo Jakob,
mein Lieblingsfest ist ...
... ist am ...

Projekt

Ein Prospekt: Informationen über eine Stadt

P1 Sucht und sammelt Informationen.

a) Gruppenarbeit. Wählt eine Stadt. Die Stadt kann in eurem Heimatland liegen, aber auch eine Stadt im Ausland sein. Sammelt Fakten über die Stadt und macht Notizen. Die Fragen und die Notizen zur Stadt Lausanne können euch helfen.

1 Wo liegt eure Stadt? *in der Schweiz, am Genfersee*

2 Welche attraktiven Plätze gibt es für Touristen? (zum Beispiel Museen, Märkte, Cafés und Restaurants)
Kathedrale „Notre Dame", Strandbad, olympisches Museum

3 Welche Geschäfte gibt es in eurer Stadt? *Geschäfte in der Altstadt, Markt am Samstagvormittag*

4 Kann man von eurer Stadt interessante Ausflüge machen? *Schiffsfahrt auf dem Genfer See, Schloss Chillon, Montreux*

5 Warum findet ihr eure Stadt besonders interessant? *liegt am Genfer See, Altstadt = 100 Meter über dem See, Lausanne = Sporthauptstadt Europas*

b) Sammelt Fotos oder zeichnet Bilder von eurer Stadt.

P2 Gruppenarbeit. Schreibt den Prospekt.

a) Nehmt ein weißes Blatt Papier und macht einen Prospekt.

b) Komm nach ... Schreibt eure Texte für den Prospekt.

1 Schreibt ihr einen Prospekt für Jugendliche oder für Erwachsene?

2 Auf der ersten Seite steht *Komm nach ... / Kommen Sie nach ...* und der Name der Stadt. Findet auch ein interessantes Foto für die erste Seite.

3 Schreibt eure Texte auf die Seiten 2–4. Auch die anderen Bilder kommen auf diese Seiten.

4 Zeichnet auf den Seiten 5 und 6 einen Stadtplan mit wichtigen Plätzen. Schreibt immer auch die Namen dazu.

i Erwachsene > 18 Jahre

(c) Ihr habt noch Zeit übrig? Dann schreibt ein Quiz über eure Stadt.

Städte Quiz – Lausanne

1 Wo liegt Lausanne?   ❓ in der Schweiz ❓ in Frankreich ❓ in Deutschland

2 Lausanne liegt an einem See. Wie heißt der See?   ❓ Bodensee ❓ Genfersee ❓ Vierwaldstätter See

3 Wo liegt die Kathedrale „Notre Dame"?   ❓ direkt am See ❓ in der Altstadt

4 Welches Museum liegt direkt am See?   ❓ das olympische Museum ❓ das Schifffahrtsmuseum

P3 Präsentiert euren Prospekt.

> Unsere Stadt ist …
> … ist wunderschön / sehr interessant ….
> Wir haben einen Prospekt für euch gemacht.
> … liegt in / am …
> Es gibt interessante Plätze in …, zum Beispiel …

> Einkaufen könnt ihr …
> Der Plan zeigt …
> Im Prospekt findet ihr einen Text über …
> Hört gut zu, wir lesen euch den Text vor.
> Dann haben wir ein Quiz über …

Stadtplan von LAUSANNE

① Bahnhof   ② Place S…
③ Kathedrale ④ Schloss…

KOMM IN DIE SCHWEIZ
KOMM NACH
LAUSANNE

Lausanne
am Genfersee ist
wunderschön!

Du kannst viele tolle Sachen in Lausanne machen. Hier sind einige Beispiele:

Gehst du gerne einkaufen? In der Altstadt findest du tolle Geschäfte! Die Schweiz ist aber nicht ganz billig. Möchtest du faulenzen?

Beginne deine Tour in der Altstadt (100 Meter über dem See). Von der Kathedrale Notre Dame siehst du die Stadt und den See. Geh in der Altstadt spazieren. Du findest sicher schnell Kontakt zu den Menschen in Lausanne. Du kannst Italienisch, Französisch oder Deutsch sprechen. In der Schweiz sprechen die Menschen meist mehrere Sprachen.

Dann fahr mit dem Bus von der Altstadt zum See. Im Strandbad gibt es auch Restaurants und Cafés. Findest du Sport interessant? Dann gefällt dir sicher auch das olympische Museum. Das Museum liegt direkt am See. Lausanne ist die Sporthauptstadt Europas. Auch das Internationale olympische Komitee (IOC) ist hier.

Grammatik

Finde die Satzzitate ◯ in den Lektionen 9–12.

G1 Verb

a) Präteritum (*sein* und *haben*)

	sein	haben
ich	war	hatte
du	warst	hattest
er, es, sie, man	war	hatte
wir	waren	hatten
ihr	wart	hattet
sie, Sie	waren	hatten

→ S. 104

Das war Glück!

Gestern hatte ich den Rucksack noch!

b) Perfekt mit *sein* und *haben*

⊙ Wann **ist** er nach Hause **gekommen**?

◆ Ich **habe** ihn nicht **gehört**.

ge-...-t	gehört, gekauft, gesucht, gespielt ... (die meisten Verben)

ge-...-en	gekommen, geschlafen, gelesen, gegessen, gegeben, getrunken, gesprochen, geschrieben, genommen, gefunden ...

Perfekt mit *sein*

fahren	ist gefahren
kommen	ist gekommen
gehen	ist gegangen

Um Mitternacht habe ich das UFO in Mielkes Kornfeld gesehen.

→ S. 108, 112

G2 Artikel, Nomen und Pronomen, Präpositionen

a) Possessivartikel Nominativ (*unser, euer*)

wir → unser   ihr → euer

maskulin	unser/euer Bus
neutral	unser/euer Auto
feminin	unsere/eure U-Bahn
Plural	unsere/eure Fahrräder

zum Vergleich:
mein/dein/sein/ihr/Ihr Bus → S. 47

⊙ Ist das unser Bus?
◆ Nein, das ist euer Bus.

Wo genau sind denn eure Kornkreise, Jakob? → S. 109

b) Pronomen

Nominativ	Akkusativ	Dativ
ich	mich	mir
du	dich	dir
er	ihn	ihm
es	es	ihm
sie	sie	ihr
wir	uns	uns
ihr	euch	euch
sie, Sie	sie, Sie	ihnen, Ihnen

Die Nachricht war sicher für mich.

Ping Pong? Das gefällt euch?

→ S. 118, 120

(c) **Fragepronomen**

	Nominativ	Akkusativ	zum Vergleich:
maskulin	welche**r** Bus	welch**en** Bus	der → d**en**
neutral	welch**es** Auto	welch**es** Auto	das → das
feminin	welch**e** U-Bahn	welch**e** U-Bahn	die → die
Plural	welch**e** Fahrräder	welch**e** Fahrräder	die → die

→ S.118

(d) **Dativ**

Dativ → **-em**
-em
-er
-en (Nomen + **n**)

		Dativ	Pronomen
maskulin	● Bus	**dem** Bus	**ihm**
neutral	● Fahrrad	**dem** Fahrrad	**ihm**
feminin	● U-Bahn	**der** U-Bahn	**ihr**
Plural	○ Busse,	**den** Bussen,	**ihnen**
	○ Fahrräder,	Fahrrädern,	
	○ U-Bahnen	U-Bahnen	

Ebenso:

ein**em**/kein**em**/mein**em**/dein**em**/sein**em**/
ihr**em**/unser**em**/eur**em**/ihr**em**/Ihr**em** ● Bus

ein**em**/kein**em**/... ● Fahrrad

ein**er**/kein**er**/... ● U-Bahn

–/kein**en**/mein**en**/... ○ Busse**n**

*Fahren Sie **mit der** U-Bahn zum Kaiserpalast.*

→ S.92-94

(e) **Präpositionen und Dativ**

Wo?	Woher?	Wohin?	Wie?
vor, hinter, zwischen, neben, auf, über, unter, an, in, bei	von, aus	zu, nach	mit

*Fahren Sie mit dem Bus **nach** Gizeh.*

*Der Tiergarten ist **zwischen der** Gedächtniskirche und **dem** Fernsehturm.*

*Auch Experten kommen und suchen eine Erklärung. Sie finden drei Skelette **unter dem** Haus.*

→ S.92

(f) **Präpositionen und Akkusativ**

Wohin?
in
an

*Auf deiner Suche musst du **in den** magischen Wald, **an den** Blumensee, **in den** Wolkenturm und **ans** Meer wandern.*

→ S.117

(g) **Kontraktionen**

in + dem = **im**	an + dem = **am**
in + das = **ins**	an + das = **ans**

zu + dem = **zum**	bei + dem = **beim**	von + dem = **vom**
zu + der = **zur**		

→ S.93, 94, 96, 117

Chronologische Wortliste

Die chronologische Wortliste enthält alle Wörter dieses Buches mit
Angabe der Seiten, auf denen sie zum ersten Mal vorkommen.

(Pl.) = Nomen wird nur oder meist im Plural verwendet

(Sg.) = Nomen wird nur oder meist im Singular verwendet

Erweiterungswortschatz = kursiv gedruckt

Wie heißt du?

Idee, die, -n

Seite 7
zuhören
lesen
hallo
ich
sein
wie
heißen
du
und
das ist
woher
kommen
aus
ihr
wir
Polen
Spanien
Schweden
zuordnen
Deutschland

Modul 1
Wir und die anderen

Lektion 1
Ja, klar! Das weiß ich.

Seite 10
ander-
Ja, klar!
ja
Das weiß ich.
Briefmarke, die, -n
Italien
Brasilien
Österreich
Kanada

Sudan, der
Schweiz, die
Japan
Russland
China
Südafrika
eins
zwei
drei
vier
fünf
sechs
sieben
acht
neun
zehn
elf
zwölf
hören

Seite 11
Land, das, ⸚er

Seite 12
Ländername, der, -n
Zahl, die, -en
Wort, das, ⸚er
Nummer, die, -n
Ja, genau.
denken
nein
Was ist ...?
was
woher
Wer ist das?
wer
USA, die (Pl.)
aus

Seite 13
Popgruppe, die, -n
England
Irland
Australien

Seite 14
international
Pizza, die, -s
Taxi, das, -s
Fußball, der, ⸚e
Hamburger, der, –
Computer, der, –
Hotel, das, -s
Bus, der, -se
Gitarre, die, -n
Radio, das, -s
Museum, das, Museen
Disco, die, -s
Auto, das, -s
zeigen
wie
auf Deutsch
die Lehrerin / der Lehrer
fragen
antworten
Blume, die, -n
Bild, das, -er
Zug, der, ⸚e
Brücke, die, -n
Stadt, die, ⸚e
Fahrrad, das, ⸚er
Flugzeug, das, -e
Fluss, der, ⸚e
Hund, der, -e
Klavier, das, -e
Schiff, das, -e
ein / eine
ach ja

Seite 15
Tut mir leid.
wissen
nicht
richtig
verstehen
schauen
Foto, das, -s
Junge, der, -n

Mädchen, das, –
Mathematik, die
da
es
stehen
dann
Tangente, die, -n
sehr gut
danke
schreiben
man
Jugendliche, der, -n

Seite 16
Alphabet, das
VW, der, -s
Volkswagen, der, –
Deutsche Bahn, die (Sg.)
SMS, die, –
PC, der, -s
  (Personal Computer)
DVD, die, -s
  (Digital Versatile Disc)
WC, das, -s
  (Water Closet)
Addition, die, -en
Radius, der, Radien
Liter, der, –
Pyramide, die, -n
Zentimeter, der, –

Seite 17
Bingo
Herr, der, -en
  (Anrede: ohne Artikel)
Frau, die, -en
  (Anrede: ohne Artikel)
Hausaufgabe, die, -n
Notiz, die, -en
Seite, die, -n
Übung, die, -en
Text, der, -e
Mailbox, die, -en
Handynummer, die, -n

Handy, das, -s
Mathematikhausaufgabe,
    die, -n
tschüs
Musik, die (Sg.)

Lektion 2
Kennst du Mafalda?

Seite 18
kennen
Comicfigur, die, -en
Zeichner, der, –
meinen
glauben
sicher
auch
aber
Argentinien
zeichnen
alt
wohl
Detektiv, der, -e
falsch
Comic, der, -s
Manga, das, -s
Star, der, -s
in
Achtung!
schwierig

Seite 20
zwanzig
dreißig
vierzig
fünfzig
sechzig
siebzig
achtzig
neunzig
hundert
dreizehn
vierzehn
fünfzehn
sechzehn
siebzehn
achtzehn
neunzehn
sechsundzwanzig
neunundzwanzig
fünfunddreißig
siebenundvierzig
achtundfünfzig

vierundsechzig
Alter, das (Sg.)
Jahr, das, -e
Belgien
Frankreich

Seite 21
denn

Seite 22
Kugelschreiber, der, –
Buch, das, ¨er
Bleistift, der, -e
Stuhl, der, ¨e
Tisch, der, -e
Fenster, das, –
Zeitung, die, -en
Lampe, die, -n
Papier, das
Heft, das, -e
Radiergummi, der, -s
Gegenteil, das (Sg.)
schön
hässlich
groß
klein
neu
teuer
billig
mein/meine
dein/deine

Seite 23
Frage, die, -n
Vorname, der, -n
verheiratet
Familienname, der, -n
machen
geboren
wohnen
wo
Heimatland, das, ¨er
Wohnort, der, -e
Geburtsort, der, -e
Beruf, der, -e
Schauspielerin, die, -nen
Familienstand, der (Sg.)
ledig
Kaufhaus, das, ¨er
Satz, der, ¨e
doch
na da
warten

Seite 24
Tabelle, die, -n
Person, die, -en
raten
Mann, der, ¨er
Schauspieler, der, –
Name, der, -n
der Musiker,–/
    die Musikerin
der Sportler,–/
    die Sportlerin

Seite 25
Anmeldung, die, -en
Stadtbibliothek, die, -en
Telefonnummer, die, -n
Formular, das, -e
Fehler, der, –
Adresse, die, -n
der Zeichner/
    die Zeichnerin
Hilfe, die (Sg.)

Lektion 3
Was machst du heute?

Seite 26
heute
Tag, der, -e
tanzen
im
Musik machen
Fußball spielen
tauchen
Schach spielen
Dinge suchen
im
Stein, der, -e
Montag, der, -e
der Tanzlehrer/
    die Tanzlehrerin
Mülldeponie, die
Muschel, die, -n
um ... Uhr

Seite 27
Wochentag, der, -e
gewinnen
üben
Dienstag, der, -e
Mittwoch, der, -e
Donnerstag, der, -e
Freitag, der, -e

Samstag, der, -e
Sonntag, der, -e
traditionell
Tanz, der, ¨e
Indonesien
Schüler, der, –
Schülerin, die, -nen
gegen
Weltspitze, die (Sg.)
Guatemala
sein/seine
Freund, der, -e
blind
Ball, der, ¨e
sehen
nur
leben
Salomon-Inseln, die
Salomonen-Dollar, der, -s
Geld, das (Sg.)
am
beginnen
Shoppingtour, die, -en
Konzert, das, -e
Hip-Hop-Star, der, -s
ihr/ihre
Bangladesch
schon
für
Familie, die, -n

Seite 28
morgen
Was ist morgen?
gern
oder
Musik hören
faulenzen
Tennis spielen
E-Mails schreiben
telefonieren
Hausaufgaben machen
Gitarre spielen
Klavier spielen
schwimmen
reiten
Was machst du
    gern/heute?

Seite 29
finden
langweilig
schrecklich

toll
gut
super
okay

Seite 30
Fuß, der, ⸚e
Welt, die, -en
Spitze, die, -n
Müll, der (Sg.)
Deponie, die, -n
Woche, die, -n
der / die / das Lieblings-
Sänger, der, –
Sängerin, die, -nen
Lied, das, -er
Film, der, -e
Kontinent, der, -e
Buchstabe, der, -n
Klasse, die, -n
Partner, der, –
Partnerin, die, -nen

Seite 31
Terminkalender, der, –
Gitarrenstunde, die, -n
Tanzkurs, der, -e
Volleyballtraining,
    das (Sg.)
wann
Fernsehen, das (Sg.)
Spielfilm, der, -e
Popkonzert, das, -e
(Mathe-)Test, der, -s
alles klar
Fan, der, -s
Kino, das, -s
bestimmt
gehen
schlecht
Zeit haben
mögen
Nein, danke.
Geburtstag, der, -e
schade

Seite 32
überhaupt nicht
beide
haben
Party, die, -s
Fußballspiel, das, -e

Seite 33
boxen
Basketball, der (Sg.)
Trainer, der, –
viele
einige
Frauenfußballteam, das, -s
trainieren
Sportzentrum, das, Sport-
    zentren
Klub, der, -s
Meisterschaft, die, -en
Mensch, der, -en
Klischee, das, -s
Mädchenboxen, das (Sg.)
ganz normal
dort
Kuba
warum
liebe Grüße
Gruß, der, ⸚e
wieder
interessant
Oma
fantastisch

Lektion 4
Wie mein Vater,
wie meine Mutter ...

Seite 34
Vater, der, ⸚
Mutter, die, ⸚
Sohn, der, ⸚e
Tochter, die, ⸚
Bruder, der, ⸚
Schwester, die, -n
von
der Arzt / die Ärztin
der Physiker /
    die Physikerin
der Ingenieur /
    die Ingenieurin
der Psychologe /
    die Psychologin
der Kaufmann /
    die Kauffrau

Seite 35
Berufstradition, die, -en
der Kaiser / die Kaiserin
der Manager /
    die Managerin

bauen
Sportwagen, der, –
Psychoanalyse, die, -n
der Kinderpsychologe /
    die Kinderpsychologin
der Modedesigner /
    die Modedesignerin
entdecken
Röntgenstrahlen, die (Pl.)

Seite 36
Jahreszahl, die, -en
tausend
vor / nach Christus
der Architekt /
    die Architektin
der Student /
    die Studentin
der Hausmann /
    die Hausfrau
der Techniker /
    die Technikerin
der Künstler /
    die Künstlerin

Seite 37
Stammbaum, der, ⸚e
Großvater, der, ⸚
Großmutter, die, ⸚
Onkel, der, –
Tante, die, -n
Cousin, der, -s /
    Cousine, die, -n
Eltern, die (Pl.)
Großeltern, die (Pl.)
Angestellte, der / die, -n
geben (es gibt)
der Anwalt / die Anwältin
der Journalist /
    die Journalistin
Familientradition, die, -en

Seite 38
geschieden
Stiefvater, der, ⸚
Patchworkfamilie, die, -n
bedeuten
sondern
Kind, das, -er
Geschwister, die (Pl.)
CD, die, -s

Seite 39
Familienfoto, das, -s
Katze, die, -n

Seite 40
kein / keine
Kalender, der, –
Motorrad, das, ⸚er
Unterschied, der, -e

Seite 41
Zirkus, der
Zirkusartist, der, -en
Löwe, der, -n
Sensation, die, -en
Löwendressur, die (Sg.)
heiraten
der Direktor /
    die Direktorin
arbeiten
Spezialität, die, -en
Großkatze, die, -n
der Zirkusdirektor /
    die Zirkusdirektorin
sogar
Fernsehshow, die, -s
süß
nett
Jäger, der, –
Oh Schreck!

Modul-Plus 1
Landeskunde

Seite 42
deutschsprachig
Fakten, die (Pl.)
Single, der, -s
mehr
Prozent, das, -e
allein
Beispiel, das, -e
Aktivität, die, -en
Hafenarbeiter, der, –
der Sekretär /
    die Sekretärin
Lieblingssport, der (Sg.)
Triathlon, der (Sg.)
Rad fahren
laufen
Jugendmeister, der, –
Band, die, -s
Tourist, der, -en
Urlaub machen
    (der Urlaub)
Ski fahren
wandern

typisch
Urlaubsaktivität, die, -en
wenig
jeder
Baby, das, -s
noch
natürlich

Seite 43
Muttersprache, die, -n
französisch
italienisch
Popmusik, die (Sg.)
Türkei, die
Job, der, -s
arbeitslos
zusammen

Modul-Plus 1
Projekt

Seite 44
Posterpräsentation,
die, -en
Poster, das, –
Präsentation, die, -en
Instrument, das, -e
wichtig
andere
Keyboard, das, -s
Filmmusik, die (Sg.)
Theater, das, –
Soul, der (Sg.)
Gospel, der (Sg.)
Reggae, der (Sg.)
Rock, der (Sg.)
Ballade, die, -n
Titel, der, –
Live-CD, die, -s
einfach super
kleben
Klebstoff
Schere
präsentieren
laut

Modul 2
Alltag

Lektion 5
Wie schmeckt das?

Seite 50
Känguru, das, -s
Hase, der, -n
Seegurke, die, -n
Klapperschlange, die, -n
Schnecke, die, -n
Heuschrecke, die, -n
schmecken
Texas
Thailand
schrecklich
Hunger, der (Sg.)

Seite 51
Restaurant, das, -s
Speise, die, -en
à la carte
Japanisch
Essen, das (Sg.)
Speisekarte, die, -n
komisch
essen
Fleisch, das (Sg.)
Kängurusteak, das, -s
Kängurufleisch, das (Sg.)
gesund
übrigens
Pommes frites, die (Pl.)

Seite 52
trinken
Hähnchen, das, –
Spinat, der (Sg.)
Käse, der (Sg.)
Joghurt, der (Sg.)
Orangensaft, der (Sg.)
Brot, das, -e
Reis, der (Sg.)
Tee, der, -s
Milch, die (Sg.)
Kaffee, der, -s
Wurst, die, ⸚e
Fisch, der, -e
Müsli, das, -s
Honig, der (Sg.)
Eis, das (Sg.)

Seite 53
Ei, das, -er
Tomate, die, -n
Banane, die, -n
Kartoffel, die, -n
Apfel, der, ⸚
Gurke, die, -n
Getränk, das, -e
Obst, das (Sg.)
Gemüse, das (Sg.)
Sonstiges

Seite 54
nehmen
sprechen
Sprache, die, -n
Griechenland
Ägypten
Griechisch
Türkisch
Arabisch
Polnisch
Spanisch

Seite 55
Guten Morgen!
Frühstück, das (Sg.)
Kakao, der (Sg.)
Euro, der, –
Toast, der, -s
Brötchen, das, –
Marmelade, die, -n
Kuchen, der, –
Guten Appetit!
Käsebrötchen, das, –
Cola, die, -s
Mineralwasser, das, –
Eistee, der (Sg.)
Salat, der, -e
Schokolade, die (Sg.)
weitermachen
Mittag, der (Sg.)
nennen
nichts
möchten

Seite 56
vielleicht
möglich
Müsliriegel, der, –
stimmen
bezahlen
rechnen
Preis, der, -e

Oje!
genug
also
Summe, die, -n

Seite 57
Morgen, der (Sg.)
Abend, der, -e
Trinken, das (Sg.)
Sumoringer, der, –
Meter, der, –
wiegen
Kilogramm, das, –
schlafen
der Skispringer /
die Skispringerin
dazu
Teller, der, –
Suppe, die, -n
Wochenende, das, -n
bis bald
lieb

Lektion 6
Warum lernen …?

Seite 58
lernen
Schulfach, das, ⸚er
Schule, die, -n
besuchen
Tempel, der, –
Naturschutz, der (Sg.)
Natur, die (Sg.)
Gefahr, die, -en
in Gefahr
Nepal
Einrad fahren
Sport, der (Sg.)
Biologie, die (Sg.)
Religion, die, -en
Afrika
Asien
Europa
Nordamerika
Südamerika

Seite 59
besonder-
Eins, die (Sg.)
müssen
Physik, die (Sg.)
Englisch, das (Sg.)

Buddhismus, der (Sg.)
Medizin, die (Sg.)
Straßenkind, das, -er
Deutsch, das (Sg.)
der Bauer / die Bäuerin
Basis, die (Sg.)
Leben, das (Sg.)
deshalb
Arzt, der, ̈e

Seite 60
Chemie, die (Sg.)
Informatik, die (Sg.)
Kunst, die, ̈e
Erdkunde, die (Sg.)
Wahlfach, das, ̈er
Geschichte, die (Sg.)
Liste, die, -n

Seite 61
Stundenplan, der, ̈e
Französisch, das (Sg.)

Seite 62
Tätigkeit, die, -en
EU-Länder
Handstand, der (Sg.)
können
schnell
singen
kochen
niemand
lieben

Seite 63
Kurs, der, -e
Kursnummer, die, -n
Beschreibung, die, -en
Lehrperson, die, -en
Teilnehmerzahl , die, -en
Zeit, die, -en
Detail, das, -s
Literatur, die (Sg.)
Ballett, das (Sg.)
der Anfänger /
   die Anfängerin
organisch
Analyse, die, -n
total

Seite 64
Ahnung, die, -en
   (keine Ahnung)
sympathisch
cool

uncool
Kreuzworträtsel, das, –
lösen
Moped, das, -s
Krimi, der, -s
Mädchenzeitschrift,
   die, -en
Tipp, der, -s

Seite 65
intelligent
(Ja,) natürlich!
Intelligenzquotient,
   der, -en
Mal, das, -e
sagen
normal
hoch
Rätsel , das, –
Antwort, die, -en
Internet, das (Sg.)
Webseite, die, -n
so
antworten
mehr
Delfin schwimmen
Wasser, das (Sg.)

Lektion 7
Brauchen Sie Hilfe?

Seite 66
brauchen
Lieblingsplatz, der, ̈e
Strand, der, ̈e
Meer, das, -e
Welle, die, -n
blau
ruhig
grau
schwarz
Tsunami, der, -s
Sri Lanka
weiß

Seite 67
Grenze, die, -n
Dezember, der (Sg.)
wunderschön
Chance, die, -n
plötzlich
überall
nicht mehr
jetzt

gefährlich
braun
später
Haus, das, ̈er
weg
lang
ohne
Trinkwasser, das (Sg.)
ander-
bringen
hell
Farbe, die, -n
wollen
werden

Seite 68
rosa
lila
gelb
rot
grün
beige
orange
dunkel
hellblau (-rot, -grün …)
dunkelblau (-rot, -grün …)
Gefühl, das, -e
zufrieden
lustig
müde
hungrig
traurig
wütend
glücklich
nervös
durstig

Seite 69
lange
Lieblingsmawnnschaft,
   die, -en
Test, der, -s
Assoziation, die, -en
passen
Gefühlswort, das, ̈er

Seite 70
Spende, die, -n
spenden
na ja
Tier, das, -e
Papagei, der, -en
Kaninchen, das, –
etwas

ein Drittel
ein Viertel
ein Fünftel
Foto, das, -s
bekommen
arm
Kolumbien
Walfang, der (Sg.)
Aktion, die, -en

Seite 71
Sie
Fahrschein, der, -e
Fahrkarte, die, -n
Fahrscheinautomat,
   der, -en
Fahrscheinkontrolle,
   die, -n
kaufen
zahlen
Fahrgast, der, ̈e
Kontrolleur, der, -e
wie bitte?
zu
spät
kosten
kontrollieren
Entschuldigen Sie!
Entschuldige!
extra
viel
Ihr

Seite 72
Nachmittag, der, -e
es geht (schon)
hier
Straße, die, -n

Seite 73
Rap, der, -s
Doktor, der, -en
Liebes-Hotline, die, -s
los sein
immer
Gesicht, das, -er
Oh Gott!
Liebe, die (Sg.)
wunderbar
Telefon, das, -e
anrufen
Problem, das, -e
einfach
Guten Tag.

drücken
Info, die, -s
   (Information, die, -en)
Danke schön!
Schlaf, der (Sg.)
Stopp!
Europatag, der, -e
Schulfest, das, -e
gerade
Fahne, die, -n
Quiz, das (Sg.)
noch einmal
Lösung, die, -en
wirklich
Buffet, das, -s
zum Beispiel
ausmalen
leider
Ach!

Lektion 8
Der Krimi fängt gleich an!

gleich
anfangen
(Fernseh-)Serie, die, -n
(Original-)Titel, der, –
reich

Lieblingsserie, die, -n
(Fernseh-)Klon, der, -e
nach Hause
dürfen
fernsehen
realistisch
auf
ganz
populär
circa
ähnlich
aussehen
agieren
Experte, der, -n
Expertin, die, -nen
kritisch
handeln
fühlen
bald
alle

Dokumentation, die, -en
Nachrichtensendung,
   die, -en
Sportsendung, die, -en
Zeichentrickfilm, der, -e
Talkshow, die, -s
Spielshow, die, -s
(Fernseh-)Sendung,
   die, -en

(Fernseh-)Woche, die, -n
lachen
Radfahren, das (Sg.)
Romantik, die (Sg.)
Lieblingssendung,
   die, -en
Polizei, die (Sg.)
Liebesfilm, der, -e

Uhrzeit, die, -en
offiziell
aktuell
(Fernseh-)Programm,
   das, -e
Programmansage, die, -n
inoffiziell
Uhr, die, -en
abends
morgens
Viertel vor/nach ...
halb
aufbleiben
Horrorfilm, der, -e

mitkommen
echt
Billard spielen
Minute, die, -n
Chips, die (Pl.)
einkaufen
zu Hause bleiben
Bar, die, -s
Billardtisch, der, -e
bleiben
(keine) Lust haben
mit
diskutieren

mitbringen

Fernsehparty, die, -s
Deutschstunde, die, -n
zuhören
zuordnen
Pause, die, -n
Pause machen
zeigen
mitfahren
mitsingen
mittanzen
einsteigen
aussteigen
zusehen
aufmachen
zumachen
(Alltags-)Geschichte,
   die, -n

(Fernseh-)Marathon,
   der (Sg.)
Wörterbuch, das, ⸚er
(Welt-)Rekord, der, -e
Gehirn, das, -e
(fernseh-)süchtig
kurz
Szene, die, -n
unglücklich
Schülerzeitung, die, -en
Artikel, der, –
(Fernseh-)Hit, der, -s
der Millionär/
   die Millionärin
mitmachen
manchmal
durchschnittlich
pro
aggressiv
Stunde, die, -n
Situation, die, -en
böse
Wolf, der, ⸚e

Modul-Plus 2
Landeskunde

asiatisch
eigen-
Spezialität, die, -en
Sahne, die (Sg.)
Schlagobers, der (Sg.)
Rahm, der (Sg.)

Semmel, die, -n
Weggli, das, -s
Möhre, die, -n
Karotte, die, -n
Hendl, das, –
Poulet, das, -s
Kloß, der, ⸚e
Knödel, der, –
Erdapfel, der, ⸚
Fondue, das, -s
Wienerschnitzel, das, –
Deutsche, der/die, -n
Eisbein mit Sauerkraut,
   das (Sg.)
Kartoffelkloß, der, ⸚e
Raclette, das (Sg.)
Kaiserschmarrn, der (Sg.)
fragen
meistens
manchmal
eigentlich
lecker

weich
Nachspeise, die, -n
Kochen (Schulfach)
Note, die, -n
Zeugnis, das, -se
ungenügend
unbrauchbar
der/die/das beste
der Vegetarier/die Vegeta-
   rierin
österreichisch
Schweinebraten, der, –
dick
Pfannkuchen, der, –
Stück, das, -e
Kompott, das (Sg.)
schwer
leicht

Modul-Plus 2
Projekt

Umfrage, die, -n
Interesse, das, -n
Hobby, das, -s
oft
Jazz, der (Sg.)
Klassik, die (Sg.)

Hip-Hop, der (Sg.)
nie
Freizeit, die (Sg.)
Fast Food, das (Sg.)

Seite 85
Cornflakes, die (Pl.)
Resultat, das, -e

Modul 3
Glauben und wissen

Lektion 9
Wo ist das nur?

Seite 90
Weltstadt, die, ⸚e
Städte-/Ländername,
    der, -n
Liste, die, -n
Indien
Südkorea
Nigeria
Mio. = Millionen
Million, die, -en
Milliarde, die, -n
Erde, die (Sg.)
Millionenstadt, die, ⸚e
liegen
der Einwohner/
    die Einwohnerin
Karte, die, -n
Sehenswürdigkeit, die, -en
baden
Bootsfahrt, die, -en
(Musical-) Theater, das, –
Broadway, der (Sg.)
(Kaiser-)Palast, der, ⸚e
Garten, der, ⸚

Seite 91
Rathaus, das, ⸚er
Vormittag, der, -e
Tour, die, -en
(Stadt-)Viertel, das, –
Schrein, der, -e
spazieren gehen
einen Spaziergang
    machen
Shoppingcenter , das, –
Zoo, der, -s
Turnier, das, -e

Monorail, die (Sg.)
nach
(Freiheits-)Statue die, -n
(Fernseh-)Turm, der, ⸚e
Mumie, die, -n
Moschee, die, -n
Sphinx, die (Sg.)
Pyramide, die, -n
direkt
(Stadt-)Zentrum, das,
    Zentren
Zahnradbahn, die, -en
Christus (Jesus Christus)
Stadion, das, Stadien
(von) oben
Aktivität, die, -en
ganz okay

Seite 92
U-Bahn, die, -en
zu Fuß gehen
fahren
fliegen
Verkehrsmittel, das, –
(Stadt-)Panorama, das,
    Panoramen
Hochhaus, das, ⸚er
vor
hinter
neben
über
zwischen

Seite 93
Universität, die, -en
Dom, der, -e
links
rechts
Willkommen!
bei
Ort, der, -e

Seite 94
Platz, der, ⸚e
Park, der, -s
Bank, die, -en
Geschäft, das, -e
Apotheke, die, -n
Postamt, das, ⸚er
Bahnhof, der, ⸚e
Flughafen, der, ⸚
Haltestelle, die, -n
Krankenhaus, das, ⸚er
Fabrik, die, -en

Supermarkt, der, ⸚e
Sportplatz, der, ⸚e
Diskothek, die, -en
    (= Disco)
entfernt
weit
der/die/das nächste
ziemlich
Kilometer, der, –
(Geld) wechseln
Uhrengeschäft, das, -e
geben
es gibt …

Seite 95
Entschuldigen Sie, …
geradeaus
nach rechts/links
Gern geschehen.
Eisenbahnmuseum, das,
    -museen
geschlossen sein
Entschuldigung, …
zum/zur
vergessen

Seite 96
Schwimmbad, das, ⸚er
Wohin …?
Blumengeschäft, das, -e
Markt(-platz), der, ⸚e
Weg, der, -e
Schulweg, der, -e

Seite 97
funktionieren
Heimatstadt, die, ⸚e
Meinung, die, -en
Altstadt, die, ⸚e
Wahrzeichen, das, –
Uhrturm, der, ⸚e
Opernhaus, das, ⸚er
Einkaufszentrum, das,
    -tren
Kaffeehaus, das, ⸚er
zweimal

Lektion 10
Glaubst du das?

Seite 98
Kopfschmerz, der, -en
helfen
Kopf, der, ⸚e

wehtun
Medikament , das, -e
Kopfstand, der, ⸚e
Akupunktur, die (Sg.)
Termin, der, -e
Akupunkturarzt, der, ⸚e
erklären
stimulieren
(Akupunktur-)Punkt,
    der, -e
Körper, der, –

Seite 99
(Akupunktur-)Nadel,
    die, -n
der Spezialist/
    die Spezialistin
zuerst
Schmerz, der, -en
Ende, das (Sg.)
notieren
der/die/das nächste
manch-
Patient, der, -en/
    Patientin, die, -nen
Placebo, das, -s
Datum, das, Daten

Seite 100
Körperteil, der, -e
Hals, der, ⸚e
Arm, der, -e
Bein, das, -e
Hand, die, ⸚e
Bauch, der, ⸚e
Brust, die (Sg.)
Finger, der, –
Zeh, der, -en
Auge, das, -n
Rücken, der, –
(Körper-)Mitte, die (Sg.)
Akupressur, die (Sg.)
Bauchschmerzen,
    die (Pl.)
Schnupfen, der (Sg.)

Seite 101
Monat, der, -e
Monatsname, der, -n
Januar
Februar
März
April
Mai

Juni
Juli
August
September
Oktober
November
frei
Ferien, die (Pl.)
Jahreszeit, die, -en
Frühling, der, -e
Sommer, der, –
Herbst, der, -e
Winter, der, –

Seite 102
Sprechstundenhilfe, die, -n
der Zahnarzt /
    die Zahnärztin
wiederholen
langsam

Seite 103
Glück, das (Sg.)
Unglück, das, -e
Kleeblatt, das, ¨er
Kaminkehrer, der, –
Maskottchen, das, –
Spiegel, der, –
Glücksschwein, das, -e
kaputt
Unglückstag, der, -e
aufstehen
Badezimmer, das, –
pünktlich
zu spät kommen

Seite 104
wecken
duschen
Kleider, die (Pl.)
anziehen
Jeans, die, –
Kleid, das, -er
frühstücken
abfahren
ankommen
Unterrichtsbeginn,
    der (Sg.)
Jacke, die, -n
Bluse, die, -n
Mantel, der, ¨
T-Shirt, das, -s
Pullover, der, –
gestern

Waschmaschine, die, -n
Wecker, der, –
Bahnsteig, der, -e
Rucksack, der, ¨e
Postbote, der, -n
Unterricht, der (Sg.)
Kiosk, der, -e
Kleidergeschäft, das, -e
Fußballtraining, das, -s
Sporthalle, die, -n
Tür, die, -en

Seite 105
Büro, das, -s
Projekt, das, -e
Katastrophe, die, -en
der Astronaut /
    die Astronautin
krank
Krankheit, die, -en
Weltwirtschaft, die (Sg.)
Raumschiff, das, -e
Crew, die, -s
am Leben
Glückszahl, die, -en
Einladung, die, -en
einladen
Glückwunsch, der, ¨e
Herzlichen Glückwunsch
    zum Geburtstag!
wünschen
Geburtstagsparty, die, -s
(zu) laut
kalt
warm
(Swimming-)Pool, der, -s
dumm
Spaß, der, ¨e
bis
Halt!

Lektion 11
Wer hat das gemacht?

Seite 106
Kornkreis, der, -e
Korn, das (Sg.)
Figur, die, -en
Rechteck, das, -e
Dreieck, das, -e
Kreis, der, -e
Durchmesser, der, –
Sechseck, das, -e

Spirale, die, -n
Quadrat, das, -e
der / die Außerirdische, -n
Maschine, die, -n
Wetter, das (Sg.)
Magnetismus, der (Sg.)
der Forscher /
    die Forscherin

Seite 107
Insel, die, -n
(Korn-)Feld, das, -er
seltsam
Amerika
UFO (Unbekanntes
    Flugobjekt), das, -s
Landeplatz, der, ¨e
Nacht, die, ¨e
Licht, das, -er
Signal, das, -e
Unsinn, der (Sg.)
genau
Spaßmacher, der, –
der Fotograf /
    die Fotografin

Seite 108
Apfelsaft, der, ¨e
Nachbarin, die, -nen
Mitternacht, die (Sg.)
furchtbar
zu Abend essen

Seite 109
Norden, der (Sg.)
Süden, der (Sg.)
Osten, der (Sg.)
Westen, der (Sg.)
Autobahn, die, -en
hoffentlich
unser / unsere
euer / eure
Zettel, der, –

Seite 110
Wind, der, -e
Huhn, das, ¨er
Schwein, das, -e
Wein, der, -e
Birne, die, -n
Pferd, das, -e
Sonne, die, -n
Wolke, die, -n
Wald, der, ¨er

Baum, der, ¨e
Regen, der (Sg.)
Kuh, die, ¨e
Schaf, das, -e
Landschaft, die, -en
Pflanze, die, -n
Münze, die, -n

Seite 111
Anruf, der, -e
Tasche, die, -n

Seite 112
der Basketballtrainer /
    die Basketballtrainerin

Seite 113
Reimwort, das, ¨er
Schreck, der (Sg.)
fort
Refrain, der, -s
Wiese, die, -n

Lektion 12
Das ist seltsam …

Seite 114
Geist, der, -er
Geisterhaus, das, ¨er
Küchenboden, der, ¨
Angst haben
Angst, die, ¨e
Skelett, das, -e
Friedhof, der, ¨e
putzen

Seite 115
Andalusien
Küche, die, -n
Einkauf, der, ¨e
Nase, die, -n
Mund, der, ¨er
Boden, der, ¨
holen
Beton, der (Sg.)
Fußboden, der, ¨
Zimmer, das, –
Wohnzimmer, das, –
Schlafzimmer, das, –
Attraktion, die, -en
Erklärung, die, -en
fröhlich
Geburtshaus, das, ¨er
Kinderzimmer, das, –

Lösungen

Seite 65, Lektion 6, F1

Goethe 200, Andy Warhol 85, Bill Gates 160

Seite 70, Lektion 7, C1

Großvater Eugenius hat 60 €, 12 € kann er spenden.

Seite 73, Lektion 7, F2

Seite 96, Lektion 9, E1

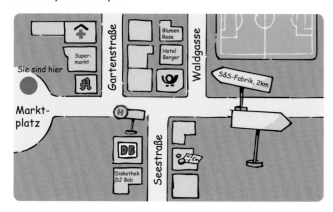

Seite 97, Lektion 9, F1

Spielregeln zu „Drei gewinnt." mit Präpositionen:

Spieler **A** spielt gegen Spieler **B**. **A** nimmt ein Feld und sagt einen Satz mit der Präposition in dem Feld. Der Satz ist richtig, das Feld ist jetzt „sein" Feld.

Jetzt nimmt **B** ein Feld und sagt einen Satz mit der Präposition im Feld. Der Satz ist falsch. **B** darf das Feld jetzt nicht nehmen. **B** muss ein anderes Feld nehmen und wieder einen Satz mit der Präposition in dem Feld sagen. Jetzt ist der Satz richtig, **B** darf das Feld nehmen.

Man braucht 3 Felder in einer Reihe von links nach rechts, von oben nach unten oder diagonal, dann gewinnt man das Spiel.

Seite 121, Lektion 12, F1

Ⓐ c   Ⓑ d   Ⓒ b   Ⓓ a

Quellenverzeichnis

Seite 8: *Circus Krone* © Circus Krone; *Tanzlehrerin* © Thinkstock/iStock/paulprescott72; *Minnie Maus* © Rue des Archives/RDA/ Süddeutsche Zeitung Photo

Seite 9: *Abba* © sirylok/fotolia.com; *Ferry Porsche* © Porsche AG; *Million Dollar Baby* © action press/Collection Christophel; *Ferdinand Porsche* © AKG Images

Seite 13: *Heidi Klum* © iStock/EdStock; *Ronaldinho* © ddp/Patrik Stollarz; *Angela Merkel* © iStockphoto/Getty Images; *Albert Einstein* © PantherMedia/Georgios Kollidas; *Bill Gates* © Thinkstock/Getty Images News/Sean Gallup; *Miss Marple* © action press/Zuma Press; *Abba* © sirylok/fotolia.com

Seite 18: *Uderzo* © dpa Picture-Alliance/Frank May; *Asterix* © ddp images; *Knatterton* © Coverbild „Alle aufregenden Abenteuer des berühmten Meisterdetektivs" Lappan Verlag; *Astroboy* u. *Foto Osamu Tezuka* © The Osamu Tezuka Manga Museum; *Quino* © Picture-Alliance/epa/Alberto Morante; *Mafalda* © 1964 Joaquin S. Lavado (Qunio)/Caminito S.a.s. Literary Agency

Seite 19: *Manga:* Nina Rode, Berlin

Seite 20: *Asterix* © ddp images; *Minnie Maus* © Rue des Archives/RDA/Süddeutsche Zeitung Photo; *Superman* © action press/ Collection Christophel; *Lucky Luke* © dpa picture-alliance/UNited Archives/IFTN; *Simpsons* © action press/Rex Features Ltd.; *Batman* © Rue des Archives/RDA/Süddeutsche Zeitung Photo; *Obelix* © action press/Everett Collection; *Knatterton* © Coverbild „Alle aufregenden Abenteuer des berühmten Meisterdetektivs" Lappan Verlag

Seite 21: *Tick, Trick und Track* © Walt Disney; *Fix und Foxi* © Your Family Entertainment; *Tim und Struppi* © dpa Picture-Alliance; *Asterix und Obelix* © ddp images; *Batman* © Rue des Archives/RDA/Süddeutsche Zeitung Photo; *Simpsons* © action press/Rex Features Ltd.; *Superman* © action press/Collection Christophel; *Tick, Trick und Track* © Walt Disney; *Fix und Foxi* © Your Family Entertainment

Seite 23: *Nicole Kidman* © Thinkstock/Getty Images Entertainment/Kevin Winter

Seite 24: *Sophie Marceau* © Thinkstock/Getty Images Entertainment/Francois Durand; *Beethoven* © iStockphoto/GeorgiosArt; *Robbie Williams* © Getty Images/AFP; *Anja Pärson* © Getty Images/Jed Jacobsohn

Seite 26/27: *Kalender (Hintergrund)* © PantherMedia/Heiko Z.; *Tanzlehrerin* © Thinkstock/iStock/paulprescott72; *Fußball* © dpa Picture-Alliance/Anonymous; *Schachspieler* © Getty Images/Sion Touhig; *Muscheltaucher* © Stuart Westmorland; *Mülldeponie* © Getty Images/Penny Tweedie; *Bow Wow* © Getty Images/Bryan Bedder

Seite 28/29: *Kalender (Hintergrund)* © PantherMedia/Jörg S.

Seite 30: *Tanzlehrerin* © Thinkstock/iStock/paulprescott72; *Mülldeponie* © Getty Images/Penny Tweedie

Seite 32: *Pelé* © Getty Images/AFP/Barraclough; *Bullock* © Thinkstock/Getty Images Entertainment/Astrid Stawiarz; *Lang Lang* © Getty Images /Johannes Simon; *Copperfield* © action press/Lehtikuva Oy; *Madonna* © Getty Images/Jo Hale

Seite 33: *Million Dollar Baby* © action press/Collection Christophel; *Mark* © fotolia

Seite 34: *Familie* © Thinkstock/Photodisc/Rayes; *Isabella Rossellini* © Getty Images/John M. Heller; *Sigmund Freud* © Glowimages/ Heritage Images/Ann Ronan Pictures; *Röntgen* © AKG-Images; *Mozart* © dpa Picture-Alliance; *Ferry Porsche* © Porsche AG; *Casablanca* © Interfoto/Friedrich

Seite 35: *Anna Freud* © dpa Picture-Alliance; *Ferdinand Porsche* © AKG Images

Seite 37: *Sabine* © Ralf-Udo Thiele/fotolia.com; *Anja* © PantherMedia/M.Pap; *Robert* © PantherMedia/R. Kneschke; *Manfred* © fotolia; *Günter* © PantherMedia/P. Poradzisz; *Anna* © PantherMedia/K. Neudert; *Veronika* © V. Kirschstein; *Walter* © PantherMedia/A. Greiner Adam; *Friedrich* © PantherMedia/T. Gudescheit; *Maria* © PantherMedia/H. Richter

Seite 38: *Isabella Rossellini* © Getty Images/John M. Heller

Seite 40: *Mann (2)* © PantherMedia/Anita T.; *Fotos* © Thinkstock/iStock/scyther5

Seite 41: *Circus Krone* © Circus Krone

Seite 43: *Caterines Vater* © Thinkstock/Pixland/Jupiterimages

Seite 44: *Bravo* © 2008 BRAVO

Seite 45: *Poster* © Cornelia Krenn; *Fotos: Söhne Mannheims Bühne rot* © epd-bild/Ralph Larmann; *Söhne Mannheims Anzug* © imago/Scherf; *Mannheim* © davis/fotolia.com; *Xavier Naidoo* © imago/Hoffmann

Seite 48: *Malcolm* © action press/EVERETT COLLECTION; *Ärzte ohne Grenzen* © Getty Images/AFP; *Einrad* © Imago; *Heuschrecke* © picture-alliance/dpa

Seite 49: *Fahrschein* © Hueber Verlag; *Sumoringer* © Getty Images Koichi Kamoshida; *Skispringerin* © iStock/technotr

Seite 50: *Hintergrundfoto* © Marc Roche/fotolia.com; *Seegurke* © Thinkstock/iStock/JohnINPIX; *Klapperschlange* © Thinkstock/ iStock/Maria Dryfhout; *Schnecke* © Thinkstock/iStock/albevang; *Känguru* © Thinkstock/iStock/IPGGutenbergUKLtd; *Heuschrecke* © Thinkstock/sodapix; *Hase* © Thinkstock/iStockphoto

Seite 51: *Heuschrecke essen* © picture-alliance/dpa

Seite 54: *Känguru* © Thinkstock/iStock/IPGGutenbergUKLtd; *Seegurke* © Thinkstock/iStock/JohnINPIX

Seite 57: *Sumoringer* © Getty Images/Koichi Kamoshida; *Skispringerin* © iStock/technotr

Seite 58: *Tempel* © fotolia; *Schüler* © Thinkstock/iStock/yungshu chao; *Nepal* © SEAN SPRAGUE/FOTOFINDER.COM; *Einrad* © Imago

Seite 59: *Fußballschule* © Gruppe28/Schmitz, Walter